365 blagues

Tome 3

pour les enfants à partir de 7 ans

Éditions Hemma

Aussi incroyable que cela puisse paraître, Fabrice Lelarge est instituteur ! Ses élèves, habitués à ses blagues et à ses farces, sont sans aucun doute les enfants les plus souriants de toute l'école ! Auteur chez Hemma depuis 1999, ses récits sont toujours empreints d'humour et de tendresse...

Ses grands frères aimaient *Le Petit Nicolas* de Sempé. C'est pourquoi ils demandèrent à leurs parents d'appeler le petit dernier, Nicolas (Nicolaz en breton), lequel, depuis qu'il est tout petit, dessine, dessine, dessine...

Quand on ne sait rien faire, on se met par dépit à dessiner.
C'est ce que François Ruyer a fait très tôt. Déjà tout petit, il griffonnait dans les marges de son cahier, au grand désespoir de ses maîtres. Depuis bientôt douze ans qu'il sévit dans l'univers impitoyable du livre, combien d'enfants a-t-il fait rêver ?

Voilà ce qui arrive lorsque l'on ne travaille pas bien à l'école et que l'on dessine sur les tables en classe : Frédéric TESSIER illustre pour la presse et l'édition...

365 blagues

Tome 3

pour les enfants à partir de 7 ans

Éditions Hemma

Histoire drôle

1

Janvier

Un chevalier du Moyen Âge rentre chez lui après de nombreuses années de croisade. Lorsqu'il retire son armure, sa femme s'exclame :
- Comme tu es bronzé !
- Non, répond-il, c'est de la rouille !

Janvier

Solde dans un grand magasin parisien. On se bouscule à tous les rayons dans une cohue indescriptible. Et voilà qu'une jeune femme vêtue d'une veste de tailleur et d'un slip rose entre en courant au bureau des objets trouvés :
- S'il vous plaît, on ne vous aurait pas rapporté une jupe avec deux enfants accrochés après ?

Philippe voit son ami Frédéric attablé devant une énorme pizza.
- Tu ne vas pas manger ça tout seul ?
- Bien sûr que non ! Les frites que j'ai commandées arrivent !

Un homme se présente à la ferme. Il demande à une paysanne :
- Où est le fermier ?
- Il est dans la porcherie, avec les cochons. Vous le reconnaîtrez facilement, c'est celui qui porte une casquette !

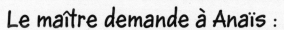

Le maître demande à Anaïs :
- Qu'est-ce qui est le plus près, l'Australie ou la lune ?
- Trop facile : la lune, bien sûr !
Le maître est étonné :
- Comment peux-tu penser ça ?
- La lune, on peut la voir d'ici, mais l'Australie, non !

Histoire drôle

6

Janvier

À quoi ça sert les vaches, papa ?
- Les vaches ? Oh, tu sais, les vaches sont très généreuses : elles nous donnent du lait et de la viande.
- Et les frites aussi ?

Histoire drôle

7

Janvier

Assise au bord du lit, la mère de Julien lui chante une berceuse pour qu'il s'endorme plus facilement.
Puis elle continue avec une deuxième et insiste avec une troisième...
Julien se met alors à soupirer :
- Dis, maman, je peux m'endormir, maintenant, ou tu veux encore chanter ?

Dans mon jardin, il tombe deux fois plus de neige que dans celui de mon voisin. Pourquoi ?

(Réponse : Parce que mon jardin est deux fois plus grand que celui de mon voisin.)

Devinette

8

Janvier

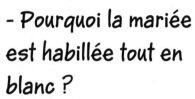

Pendant une cérémonie de mariage, une petite fille demande à sa maman :

- Pourquoi la mariée est habillée tout en blanc ?

- Parce qu'elle est heureuse... Le blanc, c'est la couleur du bonheur, de la joie...

- Ben alors, pourquoi le marié est habillé tout en noir ?

Histoire drôle

9

Janvier

10

Janvier

Pendant un match de football, un joueur fait une passe au gardien de but, mais celui-ci ne bouge pas et laisse le ballon entrer dans les cages !

- Tu es complètement idiot ! s'écrie le joueur. On vient de se prendre un but ! Pourquoi n'as-tu pas arrêté le ballon ?

- Pour quoi faire ? répond le goal, il y a un filet pour l'arrêter !

Chez le dentiste :

- Docteur, combien ça va me coûter pour me faire retirer cette dent ?

- Cela vous coûtera 90 euros, mais je vais aller vite, vous ne souffrirez pas du tout.

- 90 euros pour quelques minutes de travail ! Ben, vous ne vous embêtez pas !

- Je peux vous la retirer très lente-ment si vous préférez...

11

Janvier

12

Janvier

Un écolier raconte à ses parents :

- On a fait un exposé en classe, sur le thème :

« Le métier de mon père ».

Ça m'inspirait et je me suis dit que mon texte serait sûrement le meilleur et que la maîtresse me mettrait la meilleure note.

- Alors, dit la mère, tu as raconté le travail de chercheur en mathématiques de papa ?

- Heu... non. Pour impressionner les copains, j'ai raconté qu'il conduisait une voiture de pompiers...

13

Janvier

Un couple termine de dîner au restaurant. Le mari appelle le serveur :

- Garçon ! Le morceau de poisson que vous nous avez servi n'est pas aussi frais que celui que nous avons mangé il y a un mois !

- Pourtant, monsieur, c'est le même !

Une femme qui se ronge beaucoup
les ongles rencontre une amie et
lui parle de son problème.

Son amie l'écoute et lui dit :

- Tu devrais prendre des cours de yoga,
ça t'enlèverait le stress qui te fait te ronger les ongles, tu verras.

Quelque temps plus tard, elles se croisent de nouveau, et, l'amie, voyant que
sa copine a de beaux ongles bien longs, lui dit :

- Je vois que le yoga t'a réussi. Tu ne te ronges plus du tout les ongles ?

- Si, mais depuis que je fais du yoga, j'arrive à atteindre les ongles de pieds !

Dans le désert, un grain de sable dit à un autre grain de sable.
- Je crois qu'on est suivis !

Quelle est la différence entre une banane et un poussin ?

(On n'épluche pas les poussins, voyons !)

À l'aéroport, l'adjudant-chef douanier réunit les autres policiers :
- Vous allez me passer les sept autruches qui viennent d'Australie sous le portique qui sert à détecter les objets métalliques !
- Vous craignez une ruse des trafiquants ?
- Non, répond le chef, j'aimerais simplement savoir laquelle a avalé ma montre !

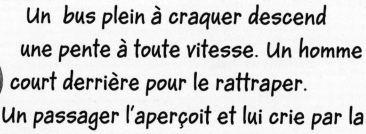

Un bus plein à craquer descend une pente à toute vitesse. Un homme court derrière pour le rattraper. Un passager l'aperçoit et lui crie par la fenêtre :
- Mon pauvre monsieur, vous n'y arriverez jamais ! Attendez le prochain !
- Je ne peux pas, répond-il, essoufflé, c'est moi le chauffeur de ce bus-là !

Deux chevaux visitent un zoo.
Lorsqu'ils arrivent à l'enclos des zèbres,
l'un d'eux chuchote :
- Tiens, ici c'est
le coin des prisonniers !

- Que vas-tu offrir à ta maman pour son anniversaire ?
- Un collier et une écharpe.
- Deux cadeaux ?
- Oui, comme ça, si elle n'aime pas le collier,
elle pourra le cacher avec l'écharpe !

La maîtresse de maison à sa servante :

- Germaine ! Le perroquet a disparu ! Vous n'avez rien remarqué d'anormal en mon absence ?
- Non, rien, madame... À part peut-être le chat qui s'est mis à parler...

Deux messieurs dans une voiture sont arrêtés à un feu rouge.

- C'est vert, dit le passager.

Le conducteur ne démarre pas.

- C'est vert ! répète le passager.

Le conducteur ne démarre toujours pas.

- C'est vert !!! s'énerve le passager.

Le conducteur se tourne vers lui et dit :

- Je ne sais pas... une grenouille ?

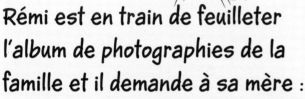

Rémi est en train de feuilleter l'album de photographies de la famille et il demande à sa mère :
- Maman, qui c'est ce beau jeune homme en maillot qui est avec toi sur la plage ?
Très mélancoliquement, sa mère lui répond :
- C'était il y a vingt ans, mon chéri. C'est ton père...
- C'est papa ? Mais alors, qui est ce monsieur chauve qui vit à la maison avec nous ?

Une dame entre chez un marchand de vêtements.
- Bonjour, je voudrais essayer la robe dans la vitrine.
Le vendeur, très gêné, lui demande :
- Vous ne préférez pas plutôt l'essayer dans une cabine ?

Paul rencontre un ami :
- As-tu reçu ma lettre ?
- Celle dans laquelle tu me récla-
mes les 100 euros que je te dois ?
- Oui !
- Euh... Non, je ne l'ai pas reçue !

Histoire drôle
25
Janvier

Deux enfants jouent au cow-boy dans le parc.
L'un des deux tombe et commence à pleurer.
Son copain s'approche, désolé, et dit :
- Oh, pardon, je ne voulais pas te faire mal,
je voulais juste te tuer...

Histoire drôle
26
Janvier

La maman du petit Pierre est enceinte. Il demande :

- Ça te fait mal quand il met des coups de pied ?

- Non, c'est tout doux.

- Ça, c'est parce que le bébé dans ton ventre a mis des grosses chaussettes !

La maîtresse demande :

- De quelle couleur est cette balle, Thomas ?

- Elle est bleue...

- Et celle-ci ?

- Bah... elle est verte.

- Et celle-là ?

- Elle est jaune...

Mais tu connais pas tes couleurs, maî-tresse, ou quoi ?

Le coiffeur dit à son client :
- Cette mousse ferait pousser des cheveux sur une boule de pétanque.
- Très bien. Mais est-ce que ça ne gênerait pas un peu le jeu ?

Devinette

30

Janvier

Pourquoi le ciel est-il si haut ?

(Réponse : C'est pour éviter que les oiseaux se cognent la tête quand ils volent.)

Un escargot voit passer une limace et s'écrie :
- Wow, la belle décapotable !

Histoire drôle

31

Janvier

Ma petite fille est tellement intel-ligente que, même si elle est juste en deuxième année, elle peut dire son nom dans les deux sens !
- Ah oui, et quel est-il, son nom ?
- Anna !

La maîtresse n'est pas contente.
- Dis donc, Thomas, ton travail de recherche sur les chiens est exactement le même que celui de ta sœur !
- Ben forcément, madame, on a le même chien !

Histoire drôle

4

Février

Un fou lit un annuaire du téléphone.
Son ami arrive et lui demande :
- Alors, il est bon, ton livre ?
- Pas mal, mais je trouve
qu'il y a un peu trop
de personnages.

Un monsieur pose des panneaux « Attention au
chien » dans son jardin. Son voisin lui demande :
- Pourquoi toutes ces pancartes ?
Ton chien est tout petit.
- Justement, c'est pour qu'on ne
l'écrase pas.

Histoire drôle

5

Février

Deux copains discutent.

- Mon père, il veut toujours jouer avec mes jeux vidéo.

- Ah, le mien aussi ! Mais tu sais, c'est normal : les adultes, c'est juste des enfants qui ont grandi !

Un type rencontre un copain qui a un œil au beurre noir.

- Ben, dis donc ! Qu'est-ce qui t'est arrivé ?

- Bof ! Une discussion avec un bonhomme à propos de la circulation en ville !

- Et tu n'as pas appelé un agent ?

- C'était un agent !

Papa demande au petit Téo, 4 ans :
- Qu'est-ce que tu fais avec ce crayon et cette feuille ?
- J'écris une lettre à Julie pour lui dire que je l'aime bien.
- Mais tu ne sais pas écrire, Téo...
- C'est pas grave : Julie ne sait pas lire !

Quelle est la différence entre un dentiste et le maître d'école ?

(Le dentiste vous demande d'ouvrir la bouche et le maître de la fermer.)

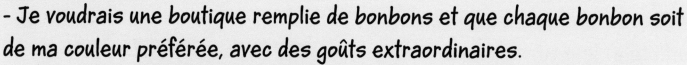

Le jeune Olivier est en train de pro-mener son chien lorsqu'il découvre une lampe magique sur le bas-côté de la route. Il la ramasse, la secoue un peu et un génie en sort.

- Bonjour, Maître, je suis un apprenti génie. Je peux t'accorder un vœu.
Que désires-tu ?

- Je voudrais une boutique remplie de bonbons et que chaque bonbon soit de ma couleur préférée, avec des goûts extraordinaires.

- Sois réaliste un petit peu ! répond le génie. Je ne peux pas faire des bonbons tous de la même couleur et qui aient des goûts différents ! Soyons sérieux, je suis peut-être un génie, mais je ne suis pas un faiseur de miracles !

- Tant pis, dit Olivier, alors je voudrais juste arrêter d'avoir des zéros à l'école sans avoir besoin de travailler. Le génie marque un temps d'arrêt et répond à Olivier.

- Bon d'accord, je vais m'occuper de tes bonbons... C'est quoi, ta couleur préférée ?

Un papa montre à son fils une petite voiture de collection.

- Tu vois, cette voiture était à moi quand j'étais petit.

- Ben, tu devais être tout minus pour rentrer là-dedans !

Ce matin, le maître est fâché contre Hugo, qui vient encore de faire une bêtise dans la classe. Il pointe sa grande règle sur Hugo et dit :

- Au bout de cette règle, il y a un imbécile !

Et Hugo répond :

- À quel bout, maître ?

Devinette : Pourquoi les fous remplissent leurs frigidaires de glaçons ?

(Pour que les frigos restent froids.)

Un enfant rentre de l'école très fâché.
- Maman, c'est fini ! Je ne retournerai pas à l'école parce qu'à l'école on ne m'apprend que des choses que je ne sais pas !

Histoire drôle

15

Février

Pourquoi les éléphants emmènent-ils toujours des raquettes à la plage ?
(Pour ne pas s'enfoncer dans le sable.)

Pourquoi les autruches se mettent-elles la tête dans le sable ?
(Pour voir les éléphants qui n'ont pas pris de raquettes.)

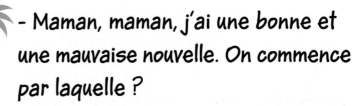

- Maman, maman, j'ai une bonne et une mauvaise nouvelle. On commence par laquelle ?
- La bonne, dit la mère.
- Alors, la bonne nouvelle, c'est que je suis la première de la classe.
- C'est super, félicitations !
Et la mauvaise nouvelle ?
- La mauvaise nouvelle, c'est que ce n'est pas vrai !

Histoire drôle

16

Février

Un petit garçon entre dans la cuisine en courant :
- Maman, Audrey a mal,
mais c'est elle qui a commencé !

Sophie a un très gros rhume. Quand
le docteur a fini de l'examiner, elle
demande :
- Docteur, je suis courageuse,
dites-moi la vérité : quand
dois-je retourner à l'école ?

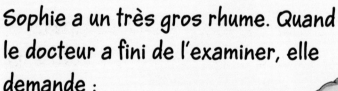

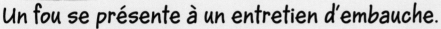

Un fou se présente à un entretien d'embauche.

- Bonjour, monsieur.

- Quel âge avez-vous ? lui demande le directeur.

Le fou compte alors sur ses doigts et finit par répondre :

- 22 ans !

- Et quelle est votre taille ?

Le fou se lève, prend une règle qui traîne sur le bureau du directeur, et essaie de se mesurer avec. Finalement, il répond :

- Je mesure 175 centimètres.

- Et comment vous appelez-vous ?

Le fou commence à bouger sa tête de gauche à droite et de droite à gauche pendant une dizaine de secondes, en remuant les lèvres mais sans émettre un son... Puis, finalement, il dit :

- François !

- Écoutez, je peux comprendre que vous soyez obligé de compter sur vos doigts pour donner votre âge, je peux aussi comprendre que vous ne reteniez pas votre taille, mais j'aimerais vraiment savoir ce que vous faisiez avant de me répondre « François » ?

- C'était juste pour me rappeler les paroles de la chanson :

« Joyeux anniversaire, joyeux anniversaire, joyeux anniversaire, François ! »

Un maître explique à ses élèves :
- Dans la vie, ce qu'il faut, c'est poser des questions au bon moment.
Alors, Mathieu lève la main :
- Pourquoi ?

À la veille de l'échographie, la petite Mélanie demande à sa mère :
- Est-ce qu'on va savoir si c'est un petit frère ou une petite sœur ?
La maman répond :
- Oui, à condition que le bébé soit bien placé...
La petite Mélanie :
- ... et qu'il n'ait pas remis sa culotte !

- Tu sais, rien ne vaut un bon journal.
- Pourquoi ?
- Tu as déjà écrasé une mouche avec une télévision ?

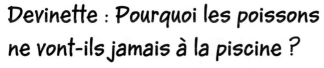

Devinette : Pourquoi les poissons ne vont-ils jamais à la piscine ?

(Parce qu'ils n'ont pas de maillots de bain.)

Devinette

24

Février

M. et Mme Dupont ont cinq enfants.
La moitié de ces enfants sont des filles.
Comment est-ce possible ?

(C'est très simple : l'autre moitié des enfants de M. et Mme Dupont sont aussi des filles !)

Deux pirates se rencontrent.
- Tiens, dit l'un, tu as un crochet à la place de la main ?
- Oui, j'ai perdu une main, en attaquant un galion espagnol.
- Et ta blessure à la joue, c'est un marin espagnol qui te l'a faite ?
- Non, c'est un moustique qui m'a piqué, je n'avais pas encore l'habitude du crochet.

Histoire drôle

25

Février

Une dame vient de raccrocher son téléphone. Son mari lui demande :
- Qui c'était ?
- C'était ma mère, répond l'épouse, et je crois bien qu'elle est devenue à moitié folle !
- Ah bon, répond le mari, ça va mieux alors !

- Je suis très fatigué, j'ai passé toute ma soirée à remplir ma salière.
- Toute la salière ???
- Oui, ma salière n'a que quatre petits trous minuscules !

Un vieux Parisien en vacances d'hiver dans les Alpes a décidé d'aller pêcher dans un lac gelé. Il creuse un trou dans la glace du lac, s'installe avec son matériel au bord du trou et commence à attendre. Au bout d'une heure, il n'a toujours rien attrapé. C'est alors qu'arrive un gamin qui perce un trou non loin de celui du premier pêcheur et qui se met à pêcher aussi. Cinq minutes plus tard, le gamin s'agite et sort un poisson énorme. Le pêcheur pense que c'est de la chance et prend son mal en patience. Mais cinq minutes après, le gamin sort un second poisson, puis un troisième et un quatrième ! N'y tenant plus, le pêcheur s'approche du gamin :

- Hé, petit, ça fait plus d'une heure que je suis là et je n'ai rien pris. Et toi, en un quart d'heure, tu te prends une demi-douzaine de monstres !
Tu as un secret ?
- Fo waé lé wée o ho !
répond le gamin.
- Hein ?
- Fo waé lé wée o ho !
- Je ne comprends rien, tu ne peux pas articuler ?
Alors, le gamin crache un truc dans sa main, puis dit :
- Faut garder les vers au chaud !

Au Texas, un cow-boy entre dans un saloon et dit :

- Si vous ne me servez pas une bière et un bon repas tout de suite, je fais exactement ce que mon grand-père a fait ici il y a quelques années !

Rapidement, il est servi et tout le monde s'inquiète.

Quelques jours après, il revient et dit encore :

- Si vous ne me servez pas tout de suite une bière et un bon repas, je fais comme mon grand-père et franchement, ce ne sera pas beau à voir !

Le barman s'exécute. Dans les jours qui suivent, le cow-boy continue à venir et à menacer tout le monde de faire comme son grand-père des années auparavant. Enfin, un fermier ose l'approcher, inquiet, et demande :

- Peut-on savoir ce qu'a fait votre grand-père quand on ne lui a pas servi son repas et sa boisson ?

- C'est très simple, répond le cow-boy, il est mort de faim et de soif !

Mars

Histoire drôle

2

Mars

- Papa, où se trouve l'Afrique ?
- Demande à ta mère, c'est elle qui range tout !

En classe :
- Olivier, donne-moi le nom d'un liquide qui ne gèle pas.
- Euh... l'eau chaude ?

Histoire drôle

3

Mars

Devinette

4

Mars

Devinette : Deux canards se trouvent devant un canard, deux canards se trouvent derrière un canard et un canard est au milieu.

Combien y a-t-il de canards en tout ?

(Réponse : Il y a... 3 canards !)

Devinette : Si je fais tomber une pièce de 3 euros dans une bouche d'égout, est-ce que je vais devoir me salir pour la récupérer ?

(Réponse : Non, pour une raison simple : les pièces de 3 euros n'existent pas !)

Devinette

5

Mars

Une jeune recrue parachutiste
s'apprête à sauter de l'avion.
Son chef l'arrête de justesse :
- Tu es fou, tu ne t'es pas bien
préparé ! Tu ne vas pas sauter d'un
avion sans ton parachute ?
- Qu'est-ce que ça peut faire ?
C'est un exercice d'entraînement,
non ?

Un soldat appelle son chef :
- Chef, chef ! J'ai trouvé la bombe !
Elle va exploser dans 59 secondes,
venez vite !
- Je suis là dans une minute !
répond le chef...

Le papa crie à son fils :
- Si tu n'arrêtes pas de faire l'imbécile, je t'enferme dans le poulailler !
- J'm'en fiche ! J'pondrai pas !

Histoire drôle

8

Mars

Au restaurant, le client appelle le garçon :
- Dites-moi, c'est très joli ces petits dessins sur le beurre, mais regardez, il y a aussi un cheveu...
- Ah, c'est pas étonnant ! répond le garçon. J'ai fait ça avec mon peigne.

Histoire drôle

9

Mars

Un vieux sage et un fou font un jeu dont les règles sont simples : chacun d'eux va poser des énigmes à l'autre. Si le fou ne sait pas répondre, il paye 1 euro au sage ; si c'est le vieux sage qui ne sait pas répondre, il paye 100 euros au fou parce qu'il est plus intelligent et qu'il trouve ça plus juste. Le sage commence :

- Qu'est-ce qui a 4 pattes et qui miaule ?

- Je sais pas, dit le fou. Tiens, voilà 1 euro.

- C'était un chat ! dit le sage. Une autre : Qu'est-ce qui a 4 pattes et qui aboie ?

- Je sais pas, répond encore le fou. Tiens, voilà 1 euro.

- C'était un chien ! s'exclame le sage. Bon, à ton tour maintenant.

- Euh... Bon, qu'est-ce qui a 8 pattes le matin et 4 pattes le soir ? demande le fou. Le vieux sage réfléchit, réfléchit, il réfléchit pendant une heure mais ne trouve pas. Il se trouve obligé de donner sa langue au chat.

- Je ne sais pas, dit-il. Tiens, voilà tes 100 euros...

Mais, alors, c'était quoi la réponse ?

- Je sais pas, dit le fou. Tiens, voilà 1 euro.

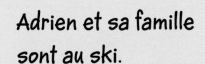

Histoire drôle

11

Mars

- C'est quand que j'ai eu ma première dent, maman ?
- Demande à ton père, je crois qu'il s'en souvient très bien.
- Pourquoi ça ?
- Parce que, ce jour-là, tu l'as mordu !

Histoire drôle

12

Mars

Adrien et sa famille sont au ski.
- Adrien, je ne vois plus papa, est-ce que tu sais où il est allé ?
- Oui, maman, regarde là-bas, tu vois, en bas de la piste noire, il y a un gros sapin à gauche du chalet ?
- Oui.
- Eh bien, le petit point rouge étalé dans la neige au pied du sapin, c'est papa !

- Cet été, je vais en Afrique !
- Il faudra boire beaucoup,
là-bas, il fait 40° à l'ombre.
- Oh non, pas besoin, je ne suis pas
obligé de rester à l'ombre !

Un tigre se fâche après un
serpent :
  - Hééé ! Attention, tu m'as
  donné un coup de pied !
  - Imposssssssible, je n'ai
  pas de pieds !
Et il s'en va en haussant
les épaules.

- Papa, cette nuit j'ai rêvé que tu me donnais 2 euros parce que j'avais été sage.
- C'est un beau rêve. Et aujourd'hui, tu as été sage ?
- Oui, papa.
- Très bien, alors, tu peux les garder.

Une dame consulte un psychiatre.
- Docteur, je viens vous voir parce que, depuis deux ans, mon mari se prend pour un boomerang !
- Et alors, madame, quel est votre problème ?
- Mon problème, docteur, le voilà : hier, je l'ai lancé comme d'habitude, mais il n'est pas revenu !

- Chloé, tu vas avoir un nouveau petit frère !
- Pourquoi, maman, tu ne veux pas garder l'ancien ?

Elle est grande avant d'être petite, qu'est-ce que c'est ?

(Une bougie.)

Au restaurant :
- C'est un scandale, l'eau de votre carafe est trouble !!!
- Mais pas du tout, l'eau est parfaite. C'est juste la carafe qui est sale.

Le père d'un garçon dit un jour à son fils :

- J'ai toujours été premier de la classe à l'école !

- Toi, papa ? Ça m'étonne, mamie ne me l'a jamais dit...

- Et pourtant, c'est la vérité ! Tous les matins, à huit heures, j'étais là en premier !

- Nicolas, est-ce que tu as vu ton petit frère ?

- Oui, je l'ai mis dans le frigo.

- Mais tu es fou ! Il va attraper froid !

- Ne t'inquiète pas, maman, j'ai fermé la porte.

Trois homme discutent.

Le premier dit :

- Ma femme, avant d'accoucher, lisait « Les trois mousquetaires », et elle a eu des triplés !

Le deuxième répond :

- Moi, ma femme lisait « Les deux orphelines » et elle a eu des jumeaux !

Le troisième, affolé, s'écrie :

- Excusez-moi, il faut que je me sauve, ma femme est enceinte et elle est en train de lire « Ali Baba et les quarante voleurs »!

Devinette : Pourquoi faut-il fermer un œil quand on vise ?

(Parce que, si on ferme les deux, on ne voit plus rien !)

Cédric revient de l'école avec des habits troués. Sa maman lui demande :

- Que s'est-il passé !?

- Eh bien, voilà : on a joué à l'épicier et à la marchande.

- Je ne vois pas le rapport avec les trous ! dit la maman.

- Si, c'était moi qui jouais le gruyère.

Deux hommes se rencontrent dans la rue. L'un des deux se plaint :

- Avant, je n'arrivais pas à dormir, je n'avais pas l'esprit tranquille, j'avais peur des cambrioleurs. Alors, j'ai acheté un gros chien, mais je n'arrive toujours pas à dormir.

- Qu'est-ce qui t'en empêche ?

- Les ronflements du chien !

Une maman qui attend un bébé demande à son fils :
- Comment va-t-on l'appeler, ton petit frère ?
- Avec un téléphone !

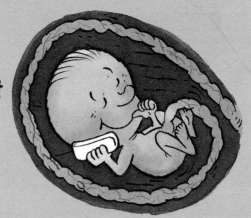

Histoire drôle
26
Mars

Devinette
27
Mars

Devinette : Comment font les éléphants pour se cacher ?

(Ils portent des lunettes noires.)

Après avoir étudié l'histoire de l'évolution des hommes préhistoriques à l'école, Élisa dit à son frère :
- Tu sais, avant, papa et maman étaient des singes !

Histoire drôle
28
Mars

Un grand-père et sa petite-fille sont assis sur le banc d'un jardin public. La petite fille demande :

- Dis, papy, est-ce que c'est Dieu qui t'a créé ?

- Oui, ma petite fille, on peut dire ça. C'est Dieu qui m'a créé.

Quelques minutes passent, puis la petite fille revient à la charge.

- Papy, papy, est-ce que c'est Dieu qui m'a créée moi aussi ?

- Mais oui, c'est lui aussi.

Alors, la petite fille observe bien son papy de haut en bas pendant

un long moment, puis elle sort un petit miroir de sa dînette et observe soigneusement son reflet à elle pendant un long moment. Le grand-père, qui la regarde faire, ne comprend pas bien les idées qui passent par la tête de sa petite-fille, mais soudain, elle lui dit :

- Tu sais, papy, j'ai l'impression que Dieu fait du bien meilleur boulot ces temps-ci...

Un garçon écrit une lettre à une fille :
Le midi je ne mange pas car je pense à toi,
le soir je ne mange pas car je pense à toi,
et la nuit je ne dors pas car... j'ai faim !

Au rayon des jouets, un monsieur s'amuse à
manœuvrer un train miniature.
Puis il appelle le vendeur :
- Bonjour, je souhaiterais acheter un
train comme celui-ci, s'il vous plaît !
- Très bon choix, répond le vendeur.
Ce train amusera certainement
beaucoup votre petit garçon !
- Vous avez raison, je vais en acheter un
pour lui aussi, donnez-m'en deux !

Une maman, très crédule, dit à son petit garçon qui rentre de l'école :

– Que des extraterrestres aient atterri en soucoupe volante et qu'ils se soient jetés sur toi, je veux bien le croire. Qu'ils t'aient volé ton goûter et tes billes, je peux accepter, s'ils avaient envie de jouer en mangeant du chocolat. Mais ce qui m'étonne, dans ton histoire, c'est que je n'arrive pas à comprendre ce que des extraterrestres comptaient faire avec le carnet de notes qu'ils t'ont volé... ?

Avril

Un bébé pleure depuis un moment à la plage. Un passant dit au père :
- Quand ma fille était petite, mon épouse chantait des berceuses pour calmer le bébé. Ça marche bien, vous devriez essayer.
- Oui, c'est ce qu'elle faisait aussi... Mais les voisins sont venus, et ils nous ont dit qu'ils préféraient entendre le gosse pleurer !

En plein été, dans un magasin de tissu, une jeune fille en mini-jupe s'adresse à un vendeur :
- Je voudrais prendre de ce tissu pour me faire une nouvelle robe. Combien vaut-il ?
- Ça sera un baiser le mètre, jolie demoiselle, répond le vendeur.
- Très bien. Vous m'en couperez cinq mètres alors, dit la fille. Tout rougissant et rapidement, le vendeur prend les mesures du tissu et fait la découpe, puis il emballe le tissu et le pose sur le comptoir en regardant la fille avec insistance. À ce moment-là, la fille se tourne vers le trottoir et appelle :
- Grand-père, tu peux venir payer le monsieur ?

- Maman, dit un petit garçon, regarde la chance que j'ai.
Il défait sa chaussure dans la semelle de laquelle il y a un grand clou d'enfoncé.
- Tu appelles cela avoir de la chance ?
- Oui, parce que si j'étais une voiture, je serais complètement à plat.

- Nos voisins n'ont pas beaucoup d'argent, apparemment.
- Qu'est-ce qui te fait dire ça ?
- Hier, ils ont appelé les pompiers parce que leur bébé avait avalé une pièce d'un euro !

6

Avril

À la plage, un monsieur est très en colère.

- Madame, il est à vous, ce sale gosse qui met du sable dans mon chapeau ?

- Ah non, monsieur ! Mon fils, c'est celui qui est en train de verser un seau de crabes dans vos chaussures...

7

Avril

Un gars rentre dans un bar. Tout de suite, il remarque un groupe de joueurs de poker autour d'une table, au fond de la salle. Parmi les joueurs, il y a un chien !

Le gars se tourne vers le barman et lui demande :

- Hé, dites donc, le chien, il se débrouille bien ?

Le barman répond :

- Pas vraiment, non... Chaque fois qu'il a un bon jeu, il remue la queue.

Deux fous louent une barque pour aller à la pêche.
Pendant la partie de pêche, le premier dit :
- Cet endroit est très bon pour la pêche, on attrape plein
de poissons ! On devrait faire une croix sur le fond de la
barque pour marquer l'endroit.
Le deuxième répond :
- Tu es fou ? On n'aura peut-être
pas la même barque
la prochaine fois !

Histoire drôle

8

Avril

Histoire drôle

9

Avril

Une maman pie apprend le code
de la route à ses enfants :
- Quand le cerisier est vert,
vous passez,
mais quand il est rouge,
vous vous arrêtez !

Deux vaches dans un champ broutent tranquillement quand soudain l'une d'elles voit passer dans le ciel un petit éléphant qui vole. Elle n'ose rien dire à son amie mais, quelques minutes plus tard, elle aperçoit deux autres petits éléphants volants.

Elle commence à s'inquiéter et dit à sa compagne :

- J'aurais dû faire attention avant de manger autant d'herbe et de foin, je viens de voir plusieurs éléphants volants.

Et l'autre la rassure :

- Ne t'inquiète pas ! Je viens souvent ici : il y a un nid pas loin !

11

12

- Julie, où habite ta mamie ?

- Elle habite à l'aéroport.

- Tu es sûre ?

- Bah oui, c'est toujours là qu'on va la chercher !

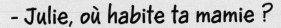

- Dis, maman, tu as la mémoire des visages ?

- Oui, bien sûr. Pourquoi ?

- Parce que je viens de casser ton miroir...

Les parents de Nico discutent du nouveau bébé qui vient d'arriver...

- La maison est devenue trop petite pour quatre personnes, on va devoir déménager.

Mais Nico secoue la tête :

- Ça ne sert à rien de déménager. De toute façon, il va nous suivre !

Histoire drôle

13

Avril

Une dame va à la pharmacie, furieuse.

- La poudre antimoustiques que vous m'avez vendue hier ne vaut rien du tout !

- Mais madame, elle fonctionne très bien : Vous attrapez le moustique, vous lui ouvrez la bouche et vous lui mettez deux grains de poudre dedans, vous verrez, c'est ra-di-cal !

Histoire drôle

14

Avril

- Hé ! T'as oublié de mettre un slip !
- Quoi ? Que... Comment tu sais ça ?
- Facile, t'as aussi oublié de mettre un pantalon...

La maîtresse rend les devoirs de français à ses élèves.

- Je suis très impressionnée par ton devoir, Louise... Ton père ne t'a pas aidée du tout ?

- Non, non, maîtresse, papa n'était pas encore rentré quand je faisais mes devoirs.

- Dans ce cas, félicitations, c'est un excellent travail !

- Merci, mais ça ne m'étonne pas, maman est super-forte en français !

C'est un docteur qui dit à un fou :
- Alors, pour qui vous prenez-vous, aujourd'hui ?
- Je suis le meilleur ami de Superman.
À ce moment-là passe un autre fou.
IL s'écrie :
- Ce n'est pas vrai, je ne connais pas ce gars-là !

Un fou se précipite dans le cabinet du médecin de l'asile.
   - Docteur, j'ai un problème : j'ai une carotte qui pousse dans mon oreille gauche !
   - C'est assez surprenant, en effet !
- Ben oui... parce que j'y avais planté des salades !

La maîtresse demande aux élèves :
- Quel est le meilleur moment pour cueillir les cerises ?
Romain lève le doigt :
- Quand le chien de la voisine est attaché, madame !

Dans un asile, un fou est dans une barque au milieu de la pelouse du parc, et il essaie de ramer, sans faire avancer le petit bateau d'un centimètre. Un autre fou passe dans l'allée et lui lance :

- C'est à cause de fous comme toi que l'on nous garde tous à l'asile !

L'autre s'arrête de ramer dans l'herbe et répond :

- Ah bon ? Je ne savais pas... Je suis désolé, vraiment.

- Ouais, bah, tu peux l'être ! Si je savais nager, je viendrais te mettre une bonne correction, tiens !

Une petite fille de 9 ans demande à sa mère :

- Maman... Pourquoi papa il n'a presque plus de cheveux sur la tête ?
- C'est parce qu'il réfléchit beaucoup trop ! Le cerveau est bouillant et les cheveux ne peuvent plus pousser...
- Oui mais, alors... maman... pourquoi toi, tu as autant de cheveux ?

Des écoliers visitent un musée. L'un d'eux, fatigué de piétiner devant les œuvres, s'assied dans un fauteuil.

Le gardien arrive en courant :
- Jeune homme, levez-vous immédiatement, vous êtes assis dans le fauteuil du roi Arthur !
- Oh, ne vous inquiétez pas, m'sieur, dès qu'il revient, je lui rends sa place !

Un escargot, qui attend une limace pour aller se promener, se fâche quand elle arrive :

- Non seulement tu es en retard, mais en plus, tu n'as même pas pris ton sac à dos !

Deux fous jouent aux devinettes :

- Qu'est-ce que j'ai dans la main ?
- Une mouche ?
- Non !
- Une guêpe ?
- Non, non !
- Un éléphant ?

L'autre regarde dans sa main, la referme et dit :
- De quelle couleur ?

- Carla, est-ce que tu as changé l'eau du poisson rouge ?
- Bah non, il n'a pas bu toute l'eau d'hier !

Deux fous se promènent dans la cour de l'asile avec une casserole sur la tête.

  - Pfouuuu ! C'est superlourd à porter, et en plus il fait très chaud dessous !
- T'as raison, ils devraient faire des casseroles en paille pour l'été !

- Dis, papa, tu peux me prêter 5 euros ?

- Tu exagères ! Tu me dois déjà 5 euros !

- Oui, justement, c'était pour te les rendre...

- Baptiste, qu'est-ce qu'il a dit ton père, avant de se casser la jambe ?

- Il nous a dit : « Je vais vous montrer comment on fait du skate-board, bande de rigolos ! »

- Comment s'est passé le match de foot ?

- Génial ! Notre équipe a marqué un superbe but !

- Et l'équipe adverse ?

- Euh... elle a marqué quatre buts vraiment minables !

Deux hommes sont partis à la pêche dans les Pyrénées. Soudain, un ours d'au moins deux cents kilos surgit de derrière un rocher et commence à les poursuivre dans les chemins rocailleux. Finalement, les deux hommes se réfugient dans un arbre. L'ours n'en démord pas et commence à grimper lui aussi. L'un des deux compagnons ouvre son sac à dos, sort ses chaussures de sport et les chausse. Puis il ôte son pantalon de toile et enfile un short. L'autre lui demande :

- Mais qu'est-ce que tu fais ?

Il répond :

- Lorsque l'ours sera à trois mètres, on saute de l'arbre et on court.

Le compagnon l'interroge :

- Tu crois vraiment que tu peux battre un ours à la course ?

Alors, le premier répond :

- C'est pas l'ours que je veux battre à la course, c'est toi !

Mai

Un monsieur veut acheter un pigeon voyageur.
Dans le magasin d'animaux, tous les pigeons
valent 25 euros, excepté un, qui vaut 150 euros.
- Pourquoi ce pigeon est-il si cher ?
- Parce que ce pigeon voyageur est
issu d'un croisement entre un pigeon
et un pivert.
- Ah bon ? Et qu'est-ce qu'il a
de plus que les autres pigeons
voyageurs ?
- Eh bien, quand il porte un message,
il frappe à la porte.

Un fou va acheter une pizza.
Le marchand lui demande :
- Je vous la découpe en quatre ou huit parts ?
- Oh, en quatre parce que je ne pourrai jamais en manger huit !

Qu'est-ce que ça fait un parachutiste distrait qui saute au-dessus de la mer ?
- Un grand PLOUF !

Trois personnes discutent avant de partir faire un safari dans la jungle.

- Moi, dit le premier, j'emporte un énorme morceau de viande. Comme ça, si un lion nous attaque, je lui lance la viande, et je me sauve pendant qu'il la mange.

- Moi, dit le second, je préfère emmener une cage d'acier. Si un lion nous attaque, je le capture et je le mets dans la cage !

- Et moi, dit le troisième, j'emporte un rocher.

- Un rocher ? Mais pour quoi faire ?

- Si un lion nous attaque, je le jette, et comme ça je pourrai courir beaucoup plus vite !

- Regarde, j'ai construit un château avec mes cubes en bois.

- Mais ils sont tous étalés par terre !

- Normal, c'est un château en ruine.

Histoire drôle

6

Mai

Histoire drôle

7

Mai

Un professeur s'étonne des mauvais résultats d'un de ses élèves.

- Je ne comprends pas : l'année dernière, tu étais un des premiers en maths et maintenant tu n'as même pas la moyenne. Que se passe-t-il ?

- Papa n'arrive plus à suivre.

Deux enfants jouent.

- On joue au papa et à la maman ? dit le garçon.

- Oh non, c'est trop ennuyeux , je n'ai pas envie de faire la vaisselle pendant que tu regardes la télé sur le canapé !

Le directeur de l'école n'est pas content.

- Le maître me dit que c'est toi qui as cassé la vitre de la classe, Rémi.

- Non, c'est pas vrai ! C'est Nicolas, il s'est baissé quand je lui ai lancé le ballon !

Le petit Léo court vers sa maman.

- La tente du cirque vient de s'envoler, et je crois que c'est de ma faute !

- Comment as-tu fait ton compte ?

- Euh... j'ai donné de la poudre à éternuer aux éléphants !

AAH AAA ATCHOUM !!!

- J'ai reçu une crotte de pigeon sur la tête !
- Eh ben, ça ! Heureusement que les vaches ne volent pas !

- Adeline, toi qui es allée en Angleterre cet été, dis-nous comment s'appellent les habitants de ce pays ?
- Je ne peux pas, je ne les connais pas tous !

Devinette : Quand on prononce mon nom, je disparais. Qui suis-je ?

(Réponse : Le silence.)

- Alors, les enfants, nous avons vu qu'en dessous du litre, il y avait le millilitre, le centilitre et le décilitre. Est-ce que quelqu'un sait ce qu'il y a AU-DESSUS du litre ?
- Euh... le bouchon ?

Un homme très musclé attend à l'arrêt de bus quand un passant tousse à côté de lui.
- Mettez votre main devant votre bouche pour tousser, parce que sinon vous allez vous retrouver à l'hôpital.
- Oh, ne vous inquiétez pas, je n'ai qu'un petit rhume, on ne va pas à l'hôpital pour si peu !
Le gros musclé remonte ses manches d'un air mauvais.
- Oh si, c'est exactement là que vous irez si j'attrape votre rhume !

Dans la cour de l'école :
- Moi, quand j'aurai fini l'école,
je serai pilote de course !
- Moi, quand j'aurai fini l'école,
je serai champion de foot !
- Et toi, Rémi, qu'est-ce que tu seras
quand tu auras fini l'école ?
Rémi réfléchit un instant et s'écrie :
- Moi, quand j'aurai fini l'école,
je serai... supercontent !

Hugo arrive en courant avec un lance-pierres dans les mains.
- Maman, tu voulais faire connaissance avec les voisins ? Je crois qu'ils arrivent !

Un homme va chez son médecin.
- Docteur, je perds mes dents, je perds mes cheveux, je perds mes poils...
Le docteur répond :
- Vous devez être vraiment distrait !

Ma voisine est tellement désagréable
que, quand elle mange un citron,
c'est le citron qui fait la grimace.

Annie étudie les nombres négatifs à l'école.
Le soir, elle demande à son père de lui expli-
quer, parce qu'elle n'a pas tout compris.
Le père :
- Bon ! Écoute, Annie, imagine quatre personnes dans un autobus.
Si, à l'arrêt suivant, huit personnes
descendent, il faut alors qu'il
y en ait quatre autres qui
montent pour qu'il n'y ait plus
personne dans le bus...

Un directeur entre dans la cour de récréation de son école et voit de nombreux élèves avec des vêtements abîmés et des égratignures sur les mains et le visage.

Étonné, il s'approche de l'un d'eux :

- Pourquoi êtes-vous tous dans cet état ?

Le garçon répond :

- C'est la fille, là-bas !

Furieux, le directeur s'approche de la fillette, qui a l'air plutôt sage.

Le directeur l'interroge :

- Qu'as-tu fait à tous ces garçons pour qu'ils soient dans cet état-là ?

La fille répond alors :

- Rien, j'ai tracé un trait avec ma craie sur le sol et j'ai dit :

- Celui qui pourra passer sous le trait gagnera deux euros !

- Maman, tu peux m'acheter une sucette ?
- Non, ça donne des caries aux dents, ma cocotte !
- Oh, mais c'est pas grave, je vais la lécher avec ma langue... pas avec les dents !

Chez le médecin, une femme demande quelle maladie a son mari qui ne se sent pas très bien. Le médecin répond :
- Mais votre mari n'a rien, madame, il croit qu'il est malade, voilà tout.
Une semaine plus tard, la femme appelle le médecin au téléphone :
- Docteur, mon mari croit qu'il est mort !

Je monte et je descends, et pourtant je ne bouge pas. Qui suis-je ?

(Réponse : Un escalier)

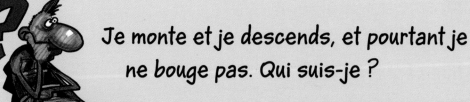

Quand je tourne la tête, vous pouvez entrer.
Si je la tourne à nouveau,
vous êtes bloqué. Qui suis-je ?

(Réponse : Une clé)

Devinette **24** Mai

Une petite fille demande à son copain :
- Tu savais que les garçons savent
  moins de choses que les filles ?
- Euh... non, je ne le savais pas.
- Hi, hi, tu vois que c'est vrai !

Histoire drôle **25** Mai

Un garçon et une fille se disputent pour la dixième fois de la journée.

- Ça fait deux ans que l'on se connaît, crie le garçon, et on n'arrive jamais à se mettre d'accord sur quelque chose !
- TROIS ! s'écrie la fille.
- Trois quoi ?
- Ça fait TROIS ans qu'on se connaît !

Leïla ne veut pas manger du poisson.

- Allons, la gronde son grand-père, mange du poisson ! C'est très bon le poisson ! C'est excellent pour... euh... pour...
  - Pour la mémoire, pépé ?

Trois enfants reviennent de l'école ensemble. L'un porte un imperméable, un autre un coupe-vent, et le troisième a un parapluie. Lequel va se faire mouiller le plus ?
(Réponse : Personne, je n'ai jamais dit qu'il pleuvait !)

Devinette : Un agent secret saute par une fenêtre d'une maison de cinq étages et il ne se fait absolument pas mal. Comment a-t-il fait ?

(Réponse : Il a sauté par la fenêtre du rez-de-chaussée !)

- Je vais acheter ce tableau ! dit le client au peintre.
    - C'est une affaire, monsieur. J'y ai passé dix ans de ma vie.
- Dix ans ? Quel travail !
- Eh oui : deux jours pour le peindre et le reste pour réussir à le vendre !

Une maîtresse d'école discute avec une petite fille dans le bus.

- Tu as quel âge ?

- 7 ans.

- Et tu vas à l'école ?

- Oui.

- Eh bien, moi aussi, je vais toujours à l'école, et j'ai pourtant 35 ans !

- Vraiment ? s'étonne la petite fille. Tu dois vraiment être idiote, alors !

Un homme qui cherche du travail voit une affiche qui propose : « Pour un travail pas trop fatigant, temps plein, salaire honnête, téléphoner au zoo de votre ville. » L'homme téléphone sur-le-champ au directeur du zoo :

- Bonjour, j'ai entendu dire que vous avez un poste à offrir. Ça m'intéresse.

- Très bien, je vous explique le travail : notre singe est mort dernièrement et je cherche quelqu'un pour le remplacer. Vous travaillez 8 heures par jour, pour 1500 euros plus les repas gratuits. Ce n'est pas très fatigant, vous faites des grimaces aux touristes et vous les amusez.

- J'accepte avec plaisir, monsieur le directeur !

Pendant environ deux semaines, notre ami apprend à se promener sur les arbres de sa cage sans tomber.

Un jour, en faisant sa représentation, la branche lui glisse des mains et il tombe dans la fosse aux lions. Le lion s'approche de lui à pas lents.

L'homme déguisé en singe s'accroche aux barreaux en criant :

- Au secours ! Au secours ! Sauvez-moi !

Alors, le lion lui chuchote :

- Chut, tais-toi, on va se faire renvoyer !!!

Juin

Une grande cheminée dit à une petite cheminée :
- Tu es trop jeune pour fumer.

Soudain, dans la rue, un passant s'écroule.
Un attroupement se forme aussitôt, et un
homme s'écrie :
- Vite ! Allez lui chercher un verre d'eau !!
Une dame intervient :

- Mais non ! Portez-lui plutôt
un petit verre d'alcool !
Le type qui est à terre soulève
péniblement sa tête et dit :
- C'est... hips... la dame...
hips... qui a raison !

Histoire drôle

4

Juin

Un petit garçon est très fier de sa première année d'école.

- À présent, dit-il, je suis plus fort que la maîtresse.

- Comment cela ?

- Eh bien, l'année prochaine, je vais monter d'une classe, alors qu'elle reste dans celle où j'étais cette année !

Devinette : Pourquoi les fous découpent-ils leurs vêtements à carreaux avant de les laver ?

(Parce que sur l'étiquette, il est écrit :
« Laver les couleurs séparément.»)

Devinette

5

Juin

- Oh, Manu, ton père vend des chaussures et tu trouves le moyen de mettre une paire complètement usée et sale !
- Et toi, alors ? Ton père, il est dentiste et ta petite sœur n'a que deux dents !

Deux souris ont décidé d'aller au cirque.

La première reste stupéfaite en voyant un éléphant tenir en équilibre sur un œuf.

- C'est un tricheur ! dit la deuxième, je te parie que l'œuf est dur !

Devinette : Qu'est-ce que ça fait un poussin de 350 kg ?

(dire avec une grosse voix : PIOU PIOU !)

Le médecin demande à son patient :
- Depuis quand vous prenez-vous pour une poule ?
- Oh, depuis que je suis un tout jeune poussin !

Un singe se trouve au sommet d'un arbre
et, au pied de l'arbre, un lion lui crie :
- Descends jouer avec moi !
- Pas question ! Tu veux me manger !
- Mais non, je veux juste jouer avec toi, allez, descends !
- Je ne redescendrai que si tu t'attaches les pattes
avec une liane.
Le lion s'exécute. Il trouve une liane et s'attache les
pattes arrière, puis les pattes avant.
- Tiens, regarde... Voilà, je suis attaché,
tu vois bien, je ne te veux pas de mal !
Maintenant, descends jouer avec moi !
Le singe descend, et le lion voit qu'il
tremble un peu.
- Pourquoi trembles-tu ainsi ?
Tu ne risques rien, puisque je
t'ai dit que je ne voulais pas te
manger !
- C'est l'émotion, répond le
singe... C'est la première fois
que je vais manger un lion !

Histoire drôle

11

Juin

La maîtresse demande :
- Les enfants, que faut-il faire pour que vos parents vous excusent quand vous avez fait une bêtise ?
Nina lève le doigt :
- Il faut d'abord faire une belle grosse bêtise, maîtresse !

- Papa, dit un petit garçon, notre maîtresse ne sait même pas à quoi ressemble un cheval !
- Tu crois vraiment ? Cela m'étonne...
- J'en suis sûr ! Quand je lui ai montré le cheval que j'avais dessiné, elle m'a demandé ce que c'était !

Histoire drôle

12

Juin

- Papa, le blanc, c'est une couleur ?
- Oui.
- Et le noir ?
  Le noir, c'est une couleur ?
- Euh... oui.
- Ah, je le savais bien que la télé
  noir et blanc de mamie, c'est une
  télé couleur !

Un papa et son fils se promènent au parc.
Le père s'assied sur un banc, mais le fils
hésite à s'asseoir.
- Eh bien ? Tu ne t'assieds pas ?
demande le père.

- Je... je peux me mettre
sur tes genoux ?
- Pourquoi ça ?
- La peinture du banc
n'est pas sèche !

Nicolas rend visite à sa petite sœur qui vient de naître et a encore le visage rouge. À sa deuxième visite le lendemain en la regardant, il demande :

- Maman, tu lui as changé la tête ?

Willy et ses amis sont à une séance de cinéma, et ils n'arrêtent pas de parler pendant le film.

Leur voisin se penche vers eux et leur dit :

- S'il vous plaît, je n'entends rien du tout !

- Et alors ? Notre conversation ne vous regarde pas !

Deux vis parlent d'un tournevis :
- Oh, celui-là, quel beau gosse !
- Oh oui, il nous a bien
fait tourner la tête !

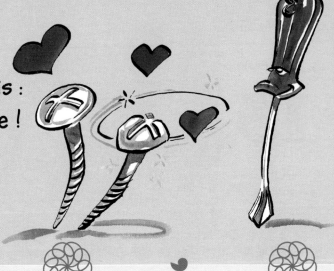

Devinette : Qu'est-ce qui est petit, qui
est noir, qui vole, et qui a une tache
rouge ?

(Réponse : Une mouche qui
saigne du nez.)

Papa, pourquoi
as-tu épousé maman ?
- Ah ! Toi aussi tu te
poses la question ?

Un clown très mécontent regarde le carnet de notes de son fils.

- Qu'est-ce que je vois ici !? Ton maître écrit que tu passes ton temps à faire rire tes camarades de classe ! Ce n'est pas comme ça que tu te trouveras un métier !

- Tu as bien travaillé à l'école aujourd'hui ?
- Oh oui, j'ai su toutes les bonnes réponses, mais la maîtresse m'a mis faux partout alors que c'est elle qui n'avait pas posé les bonnes questions !

Dans un magasin de jardinage, un homme accoste un vendeur.

- Bonjour, avez-vous quelque chose de bon pour les fourmis ?
- Pour les fourmis ? Il y a cet insecticide qui est très bien.
- Vous rigolez ? Je vois bien que ce n'est pas bon pour les fourmis, c'est écrit que ça les tue !!!

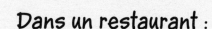

Dans un restaurant :
- Garçon, je voudrais un sandwich au dinosaure !
- Au dinosaure ?

Désolé, monsieur, nous ne pouvons pas vous le faire : nous n'avons plus de pain...

C'est un gars qui est chez le coiffeur et à qui le coiffeur demande quelle coupe il désire.

- Je voudrais : rasé sur le côté gauche, la banane mais juste à droite et de travers, la brosse sur le dessus, mais avec un trou au milieu, la nuque dégarnie mais avec quelques touffes par-ci par-là.

- Mais c'est impossible, monsieur, ce n'est pas une coupe de cheveux que vous me demandez là, c'est n'importe quoi !

Le gars répond :

- Ah ouais ? Pourtant, c'est ce que tu m'as fait la dernière fois !

Toto demande à son père :

- Papa, est-ce que tu es courageux ?

- Mmmh ? Oui, je suis courageux.

- Très courageux ?

- Oui, bien sûr !

- Extrêmement courageux ?

- Oui, extrêmement courageux !

- Alors, lis ce que le maître a écrit sur mon livre scolaire...

Une femme affolée appelle le vétérinaire :

- Docteur, mon chien vient d'avaler un cachet d'aspirine !

Qu'est-ce que je peux faire ?

- Donnez-lui un mal de tête !

Le petit Léo mange un pain au chocolat en se regardant dans le miroir. Sa mère est étonnée.

- Eh bien, Léo, pourquoi est-ce que tu te regardes manger ?

- Parce que, comme ça, j'ai l'impression d'en manger deux !

Dans un supermarché, Éric est fasciné par les étiquettes des boîtes de nourriture pour chats.

- Que se passe-t-il, Éric ? demande sa maman. Tu trouves les photos des chats sur les boîtes jolies ?

- Oh non, je me demandais juste pourquoi on ne trouvait pas de boîte de chats au goût de souris !

- Théo ! Tu as mangé tous les gâteaux sans penser à nous ! Tu aurais pu nous en laisser !
- Oh, au contraire, je n'ai cessé de penser à vous en les mangeant : j'avais trop peur de vous voir arriver !

LE PARACHUTISME EN TROIS LEÇONS :
Leçon n° 1 : Tant que tu vois les vaches comme des fourmis, il n'y a pas de danger.
Leçon n° 2 : Quand tu commences à voir les vaches comme des vaches, il est temps d'ouvrir ton parachute.
Leçon n° 3 : Quand tu vois les fourmis comme des vaches... il est trop tard !

Un automobiliste roulant à bord de sa superbe voiture de sport à 130 km/h se fait dépasser par un poulet à trois pattes qui court très vite. Vexé, il accélère pour rattraper le poulet et le dépasse à 150 km/h, mais le poulet accélère à son tour et le double de nouveau. Le poulet sort de l'autoroute et se rend dans une ferme, suivi de près par le conducteur, qui s'arrête et va trouver le fermier.

- Monsieur, je viens de voir une chose extraordinaire, un poulet à trois pattes vient de rentrer dans votre ferme.

- Ben oui, mon p'tit gars, lui dit le fermier, j'en ai trois mille des poulets. - Et ils ont tous trois pattes ?

- Ben oui ! - Et pourquoi ils ont trois pattes ?

- Ben parce que ma femme, mes enfants, mes amis et moi-même aimons les cuisses de poulet, et qu'on les a sélectionnés pour qu'ils aient tous trois pattes.

- Ah, et vous en mangez souvent ?

- Ben non, on n'arrive pas à les attraper.

Juillet

Lors d'une petite opération chirurgicale, Thomas a visiblement été impressionné par les masques des chirurgiens. Retrouvant son papa, et encore méfiant, il lui dit sur le ton du secret...
- Papa, je me suis fait opérer par des bandits...

- Mamie, est-ce que tu as de bonnes dents ?
- Oui, j'ai encore de très bonnes dents !
- Super ! Tu peux surveiller mes caramels ? Si quelqu'un s'en approche, tu le mords !

Anthony rentre de l'école en pleurant parce qu'il a eu une mauvaise note en maths. Son père lui demande :

- Et pourquoi tu as eu cette mauvaise note-là ?

- La maîtresse a demandé « Combien font 3 x 2 ?». Et j'ai répondu « 6 ».

- Mais c'est bon, ça !? répond le père.

- Puis elle a demandé « Combien font 2 x 3?»

Le père, indigné :

- Mais qu'est-ce que c'est, cette imbécillité ? C'est la même chose ! Elle a été un peu idiote, là, ta maîtresse !

- C'est exactement ce que je lui ai dit !

HISTOIRE ABSURDE : Un fou fait la collection de trous. Toute la journée, il remplit son camion des trous qu'il trouve dans la rue. Un jour, boum, il entend un grand bruit : un grand trou qu'il venait de ramasser est tombé de son camion !

Vite, il fait marche arrière et... il tombe dans le trou !

La maîtresse explique :
- 6 + 3 font 9, de même que 8+1 , 7+2, 5+4, 3+6, 2+7....
- Mais, s'écrie un élève, effrayé, tout fait 9, alors !

C'est un représentant qui sonne à la porte d'une maison, et c'est le petit Kévin, 10 ans, qui ouvre la porte, un pot de pâte à tartiner ouvert dans une main, des bonbons dans l'autre, et la bouche pleine de gâteaux au chocolat.
- Bonjour, mon petit. Est-ce que ta maman est là ?
Et Kévin répond :
- Devinez...

- Pourquoi as-tu rompu tes fiançailles, elle était charmante !
- Oui, mais elle était institutrice et, chaque fois que j'arrivais en retard à un rendez-vous, il fallait que j'apporte un mot d'excuse de mes parents !

Une jolie bergère se promène seule dans la forêt. En passant près du lac, elle voit un loup se débattre pour ne pas mourir noyé. N'écoutant que son courage, elle se précipite dans l'eau. Elle attrape le loup par les oreilles et le ramène vers le rivage quand, soudain, le loup se transforme en prince charmant. Celui-ci la regarde, lui sourit et lui dit tout bas :
- Merci, jolie bergère, tu m'as sauvé la vie et libéré d'un mauvais sort. Mais maintenant, tu sais, tu peux me lâcher les oreilles, ça fait mal !

- Émilie, où est passé le paquet de bonbons qui était sur l'étagère de la cuisine ?

- Je l'ai donné à une pauvre enfant qui avait très faim, maman.

- Ah ? Dans ce cas, c'est plutôt une bonne action. Et qui était cet enfant qui avait faim ?

- Ben... moi !

Une petite île perdue au milieu de l'Océan. Un naufragé barbu agite désespérément les bras en direction d'un bateau. Sur le pont, un passager demande au capitaine :

- Qui est-ce ?

- Aucune idée. On passe tous les ans devant son île, et chaque fois ça le rend fou ! Il nous salue et il nous fait des grands signes !

Enceinte de son deuxième enfant, madame prend un comprimé de vitamines lorsque son petit garçon qui l'observe lui demande ce qu'elle fait.

- Je prends du fer, lui dit-elle.

Surpris, il s'écrie :

- C'est un petit bébé ou un petit robot que tu vas avoir, maman ?

La maîtresse interroge Alex :

- Si tu as 14 euros dans la poche droite de ton short et 8 euros dans la poche gauche, ça fait... ?

- Ça fait que j'ai dû me tromper de short, maîtresse !

La maîtresse donne les résultats de la dictée et s'adresse à une élève :
- Que se passe-t-il ? Tu avais toujours 20 en dictée et, depuis quelques semaines, tu n'as même plus la moyenne ?
- C'est pas ma faute, m'dame, c'est Julie qui a changé de place !

Au cinéma, un homme dérange tout le monde en cherchant quelque chose sous son fauteuil. Un dame s'énerve, à côté de lui :
- Mais enfin, monsieur, qu'est-ce que vous cherchez comme ça !?
- Mon caramel.
- Un caramel !? Vous dérangez tout le monde pour un caramel ???
- Oui, et j'en suis désolé, mais mon dentier est collé dessus...

Deux voleurs sont dans une gare.
- On prend le train ?
- Je veux bien, mais on va le cacher où ?

Un patron, fou de rage, fait irruption
dans le bureau de sa secrétaire.
- Vous n'entendez pas le téléphone ?
Cela fait cinq minutes qu'il
sonne et vous ne décrochez pas ?
- Oh non, plus maintenant !
J'en ai eu assez
de prendre les
communications.
Ce n'était jamais
pour moi !

Trois garçons discutent :
- Cette année, pour mon anniversaire, j'ai eu un vélo ! dit le premier.
- Et moi, j'ai eu des rollers, dit le second.
- Vous avez de la chance, dit le troisième. Moi, pour mon anniversaire, j'ai eu la varicelle...

Histoire drôle

18

Juillet

Histoire drôle

19

Juillet

Le maître demande aux élèves :
- Une maman a six pommes, qu'elle veut partager entre trois enfants. Comment peut-elle faire ?
Rémi lève la main :
- Elle peut faire de la compote, maître !

Histoire drôle

20 Juillet

Un petit garçon demande à sa mère :
- Maman, quand je dormais dans ton ventre, j'étais tout nu ou en pyjama ?

Devinette : Quel est l'objet qui pleure quand on lui tord le cou ?

Devinette

21 Juillet

(Le robinet !)

Histoire drôle

22 Juillet

Jeanne revient de chez le dentiste.
- Est-ce que ta dent te fait encore mal ?
- Je ne sais pas, maman. Elle est restée chez le dentiste.

Un petit garçon demande dans une animalerie :

- Je voudrais des graines pour oiseau.

- Bien sûr. Qu'est-ce que tu as comme oiseau ?

- Ben, je sais pas encore...

Les graines, c'est pour le faire pousser !!!

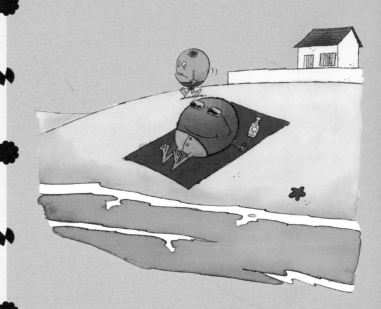

Une olive verte voit passer une olive noire.

- Waw ! Tu es superbronzée ! Tu reviens de vacances ?

Une institutrice explique à ses élèves le pluriel et le singulier :

- Bon, alors voilà, les enfants, le singulier et le pluriel c'est très facile. Le singulier c'est quand on est un, et le pluriel c'est quand on est plusieurs. Vous voyez, ce n'est pas dur. Bon, alors on va voir si vous avez compris. Dis-moi, Jérôme, quand on dit « Un enfant regarde par la fenêtre », on parle comment, au singulier ou au pluriel ?

- Ben, si un enfant regarde par la fenêtre, on parle au singulier !

- Voilà, c'est très bien, mon petit Jérôme. Et toi, Toto, quand je dis « Huit enfants regardent par la fenêtre », qu'est-ce que c'est ?

- Ben, c'est l'école !

- Si je te donne deux bananes, et puis encore deux, combien est-ce que tu auras de bananes en tout ?
- Euh... Je ne sais pas. À l'école, on apprend à compter avec des pommes.

Mon chien est très bien dressé : quand j'arrive à la maison, il m'apporte mes pantoufles !
- Peuh ! Mon cochon fait beaucoup mieux : quand il me voit avec une bouteille de vin, il met sa queue en tire-bouchon !

Marie, si tu n'écoutes pas, je vais demander au père Noël de t'apporter des nouvelles oreilles plutôt que des jouets !
- Oh oui, maman, demande-lui alors directement des oreilles avec des jolies boucles d'oreilles !

Histoire drôle
28
Juillet

Devant l'école, les parents attendent depuis un bon moment, quand Nicolas sort seul en disant fièrement :
- Tous les autres élèves de la classe sont punis !
Il s'éloigne avec ses parents et ajoute :
- Et moi, je suis renvoyé !

Histoire drôle
29
Juillet

La maîtresse regarde le travail de Thomas.

- Qu'est-ce que tu as dessiné, ici ?

- Ce sont des extraterrestres.

- Des extraterrestres ? Mais personne n'en a jamais vu, tu ne peux pas savoir à quoi ils ressemblent !

- Eh bien, en regardant mon dessin, on le saura certainement !

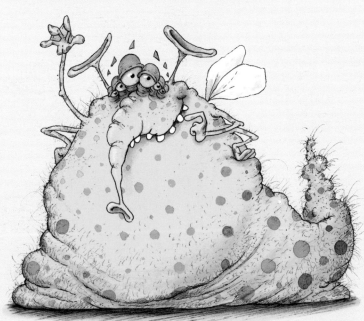

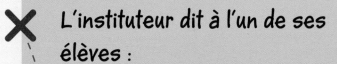

L'instituteur dit à l'un de ses élèves :

- Tes devoirs sont mauvais !

- Pourquoi, vous les avez mangés ?

La maîtresse gronde Toto parce qu'il arrive en retard à l'école. Toto :

- Ce n'est pas de ma faute : j'étais dans un avion, je me suis un peu trop penché et je suis tombé. J'ai voulu me relever, mais je n'ai pas vu venir un cheval qui m'a renversé. J'ai rebondi sur une auto rouge mais, finalement, ce qui m'a fait le plus mal c'est quand je me suis cogné la tête à une soucoupe volante...

La maîtresse se fâche : - Tu te moques de moi, Toto ? Tu t'imagines que je vais te croire ! Toto se défend : - Mais c'est vrai ! Vous pouvez demander au patron du manège !

Août

- Marie, peux-tu me dire comment écrire avec moins de mots la phrase « Le cow-boy ordonne à son cheval d'avancer au galop » ?
- Oui, maîtresse : « Yaaaaaah !!! »

Docteur, hier, j'ai mangé des huîtres pour la première fois et, aujourd'hui, j'ai vraiment très mal à l'estomac.
- Elles ne devaient pas être très fraîches. Vous auriez dû les sentir avant de les ouvrir.
- Ah bon, parce qu'il fallait les ouvrir ?

Histoire drôle

4

Août

Hugo joue dans sa chambre avec son petit frère, qui fait un caprice parce qu'il veut être le chef.

- D'accord, dit Hugo, c'est toi le chef, mais c'est moi qui décide !

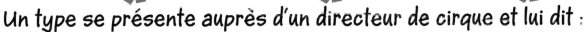

Un type se présente auprès d'un directeur de cirque et lui dit :

- Je fais un numéro très, très spectaculaire : je lance une masse de cinquante kilos que je rattrape avec la tête !

Le directeur, étonné, l'engage et lui dit qu'il peut commencer le soir même.

Le spectacle commence, vient le tour du type qui lance en l'air une masse de cinquante kilos et la reçoit sur la tête...

Et, bien entendu, le type est complètement assommé, on le conduit à l'hôpital.

Le lendemain, il se réveille avec un grand sourire, il écarte les bras, et s'écrie : « ET VOILÀ !!! »

Histoire drôle

5

Août

Histoire drôle

6

Août

Histoire drôle

7

Août

- Louise, c'est toi qui as appris tous ces gros mots à ta petite sœur ?
- Non, je lui ai juste donné la liste des mots qu'il ne fallait surtout pas dire !

Deux amis sont allés voir un match de football.

Le premier ne cesse pas de crier depuis le début, et il commence à être enroué. Il dit à son ami :

- J'ai perdu ma voix !

Son ami lui répond :

- Cherche-la dans mes oreilles.

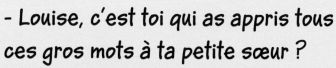

Léa sort une banane de son cartable et commence à la manger sans enlever la peau.

- Léa ! Tu es folle, il faut l'éplucher avant de la manger !!!
- Bof, pas besoin, depuis le temps que j'en mange, je sais ce qu'il y a dedans !

Deux poissons nagent dans une rivière.
Il se met à pleuvoir.
- Mettons-nous à l'abri sous le pont, dit l'un d'eux, sinon on va être trempés !

Maman n'est pas contente.

- Écoute, Lilian, les grands garçons de 6 ans ne sucent pas leur pouce !

- Ah bon ? Ils sucent quel doigt, alors ?

Devinette : Pourquoi les poissons sautent-ils hors de l'eau quand il pleut ?

(Réponse : Parce qu'ils veulent prendre une douche de temps en temps !)

Devinette : Que faut-il absolument faire pour pouvoir éteindre une bougie ?

Devinette : Qu'est-ce qui fait « Bzzz, vrrrrrraoummmm, BZZZZ » ?

(**Réponse :** Pour absolument pouvoir éteindre une bougie, il faut d'abord... l'allumer !)

(**Réponse :** Une abeille qui change de vitesse !)

En Afrique, deux chirurgiens vétérinaires viennent de finir d'opérer un éléphant.

- Très bien, il est recousu !

Tu n'as pas oublié d'instrument dans son ventre, au moins ?

- Non, bien sûr !

Par contre...

tu n'aurais pas vu l'infirmière ?

Deux lions regardent une trousse médicale, posée à côté d'eux.

- C'était un bon vétérinaire, tu ne trouves pas ?

- Ouais. Dommage qu'il n'en reste plus, j'en aurais bien repris un morceau...

- Les maîtres d'école sont tous bizarres.
- Pourquoi ?
- Eh bien, quand on est à la maternelle, ils nous apprennent à bien parler, et, une fois qu'on arrive à la grande école, ils nous demandent de nous taire !

- Qu'est-ce que tu fais, Sarah ?
- Je fais un puzzle, mais il est trop compliqué, je crois que je vais abandonner.
- Mais c'est normal que tu n'y arrives pas, ce n'est pas un puzzle que tu as pris, c'est la boîte de céréales !

Devinette : Que dit un 9
qui rencontre un 6 ?

(Réponse : Tu es tombé sur la tête ?)

- Maman, tu ne veux pas me laver la figure ?
- Tu ne peux pas te la laver tout seul ?
- Si, mais je vais me mouiller les mains et elles n'ont pas besoin d'être lavées, elles !

Manon regarde un chien muselé dans la rue :
- Mamie, pourquoi on l'empêche de parler ?

- Lucas, même si mamie cuisine très mal, ce n'est pas une raison pour casser son carrelage en laissant tomber une pierre dessus !
- Ce n'est pas une pierre, papa, c'est une part de son gâteau...

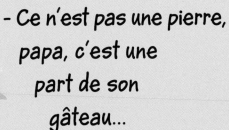

À l'arrêt de bus, maman Tortue dit à son fils :
- Ne t'éloigne pas trop, l'autobus passe dans deux heures.

Histoire drôle
23
Août

Éric, pourquoi est-ce que ton frère pleure comme ça ?
- Bof, je crois que c'est parce qu'il me voit manger un gâteau. Faut pas faire attention, de toutes façons, c'est un grincheux, il pleurait déjà quand j'ai mangé le sien !

Devinette : Qu'est-ce qui est jaune et qui va supervite ?

(Une banane de course)

Devinette
24
Août

Histoire drôle

25

Août

- Rémi, je t'ai déjà dit que, quand tu tousses, tu dois mettre la main devant la bouche !
- Oui, je sais, mais j'ai essayé plusieurs fois et ça ne m'a jamais empêché de tousser !

Une voyante prédit l'avenir à sa jeune cliente :
- Vous épouserez un homme beau, riche, jeune et intelligent !
- Ah ? Et mon fiancé, qu'est-ce qu'il va devenir ?

Histoire drôle

26

Août

Un petit ours polaire demande à sa mère :
- Maman, est-ce que je suis un vrai ours polaire ?
La maman :
- Évidemment que tu es un vrai ours polaire, mon petit ! Ton papa et moi sommes de vrais ours polaires, tu es donc aussi un vrai ours polaire !
Le petit ours, pas très rassuré, va voir son père et lui pose la même question. Son papa ours lui répond alors :
- Mais oui, tu es un vrai ours polaire... Ta maman et moi sommes de vrais ours polaires, tu es donc aussi un vrai ours polaire !

Le petit ours polaire, toujours inquiet, va voir son grand-père et lui pose la même question. Le grand-père ours polaire lui répond :
- Mais oui, petit nigaud, t'es un petit ours polaire puisque ta grand-mère, nos enfants et moi sommes de vrais ours polaires ! Pourquoi me poses-tu cette question ?
Le petit ours polaire :
- Parce que j'ai froid !

La maîtresse demande à son élève :
- Si je dis : « Je suis belle »,
à quel temps est-ce ?
- Vu que vous n'êtes pas très belle,
c'est sûrement du passé, maîtresse !

Un gamin dit à un marchand de fruits et légumes :
- Je voudrais une douzaine de bananes.
- Tu les aimes tant que cela ?
- Non, pas tellement, avoue l'enfant, mais j'ai reçu en cadeau une panoplie du petit infirmier et, en jetant une douzaine de peaux de banane sur le trottoir, j'ai une chance de pouvoir jouer avec...

Énigme : Un clown qui pèse 88 kilos veut traverser un pont. Le clown veut emmener avec lui 3 balles de 1 kilo chacune. Le problème, c'est que le pont ne peut pas porter plus de 90 kilos. Comment peut faire le clown pour traverser, avec ses trois balles, en un seul voyage ?

(Réponse : Il jongle, en s'arrangeant pour avoir toujours une balle en l'air.)

Devinette

30

Août

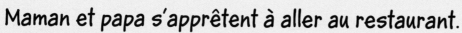

Maman et papa s'apprêtent à aller au restaurant.
- Chéri, comment veux-tu que je m'habille ?
- Je voudrais que tu t'habilles... VITE !

Histoire drôle

31

Août

Un père et son fils visitent le zoo.
- Tu préfères aller voir le tigre
mangeur d'hommes, ou le singe
mangeur de bananes ?
- Euh... je préférerais voir l'enfant
mangeur de barbe à papa !

Septembre

Mamie, est-ce que tu as de bonnes dents ?
- Malheureusement non, mon petit...
- Très bien ! Tu peux surveiller mes caramels ?

Pendant la classe, au temps de l'Égypte antique, en pleine dictée, le petit Aménophis pousse du coude son voisin :
- Hé, pssst, « poule », ça s'écrit avec deux ou quatre pattes ?

La maman de Manon lui explique comment faire la différence entre la droite et la gauche :

- C'est très simple : tu es droitière et, donc, la droite c'est du côté de la main qui écrit.

- Ah oui, alors hier, quand je suis tombée dans la cour, je me suis égratigné le genou qui n'écrit pas !

- Je peux aller à l'anniversaire de Maxime, maman ?

- Oui, mais fais bien attention, reste bien poli, ne te goinfre pas, ne cours pas partout dans la maison et ne te bagarre pas avec Adrien et Bruno comme la dernière fois, d'accord ?

- Mais... si je ne fais pas tout ça, comment veux-tu que je m'amuse ?

Histoire drôle

6

Septembre

Histoire drôle

7

Septembre

Deux enfants se trouvent de chaque côté d'une rivière.
L'un crie à l'autre :
- Hé, comment on fait pour se rendre de l'autre côté ?
- Hein, mais tu es bête ou quoi, t'es déjà de l'autre côté !

Big Joe, un célèbre bandit du Far West, entre dans le saloon.
- À boire ! hurle-t-il. Et quand Big Joe boit, tout le monde boit !
Le barman, terrifié, sert à boire à tout le monde dans le saloon. Les clients sont ravis d'avoir une boisson gratuite, même si Big Joe leur donne la frousse.
Big Joe finit son verre, sort un dollar et le lance au barman avant de hurler :
- Quand Big Joe paye, tout le monde paye !

La maîtresse interroge Rémi.

- 5+5 ?

- Dix !

- Très bien, tu as 20 sur 20.

- Quarante !

Nicolas et ses parents viennent d'arriver dans un hôtel pour les vacances. La patronne de l'hôtel leur explique les horaires de repas.

- Le petit déjeuner est servi de 7 heures à 11 heures, le déjeuner de midi à 2 heures et le dîner de 19 heures à 22 heures...

- Ah, c'est embêtant, ça ! s'écrie le petit garçon.

- Pourquoi ?

- Parce que ça ne laissera pas beaucoup de temps pour aller à la plage.

Une dame arrive chez le vétérinaire, un aspirateur à la main :
- Alors, madame Dubois, je vois que vous avez encore eu des problèmes avec votre caniche...

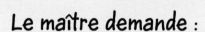

Le maître demande :
- Est-ce que vous pouvez me dire ce que c'est que d'être poli ?
- Oui, maître ; être poli, c'est ne pas dire de gros mots à quelqu'un qui pourrait aller le dire à mon père !

Les enfants, vous allez m'aider à faire la vaisselle, aujourd'hui.

- Oui, maman !

- Bon, Mélanie, tu laves la vaisselle ; Tony, tu l'essuies, et Chloé, tu la ranges dans les placards.

- D'accord, maman ! Et toi, tu fais quoi ?

- Moi... je ramasse les morceaux !

C'est le soir, dans la caverne des hommes préhistoriques.

- Allez, dit la maman préhistorique à son petit garçon préhistorique, il est l'heure de se coucher.

- Mais maman, je n'ai pas sommeil !

- Eh bien, tu n'auras qu'à compter les dinosaures pour t'endormir !

Devinette : Je passe ma vie à effacer les erreurs des autres. Qui suis-je ?

Devinette **14** Septembre

(Une gomme)

Papa trouve ses fils bien calmes, tout à coup.

- Que faites-vous, les enfants ?

- On a trouvé une pièce de 1 euro, et celui de nous deux qui dira le plus gros mensonge aura le droit de garder la pièce pour lui !

Histoire drôle **15** Septembre

- Oh, ce n'est pas très bien, ça ! Quand j'étais petit, moi, je ne disais JAMAIS de mensonges !

Les deux enfants se regardent en haussant les sourcils.

- Bon, très bien, papa, c'est toi qui gagnes la pièce !

Une maman va voir le maître de son fils.

- Est-ce que vous pourriez me dire pourquoi mon fils ne revient qu'avec des zéros !?
- Oui, madame, c'est parce qu'il n'existe pas de note plus basse...

Deux ballons rebondissent dans le désert.

Tout à coup, l'un des deux s'écrie :
- Attention, un cactusssssssss... !

Victor, qui vient de prendre son bain, va voir son père.
- Il faudrait que tu arrêtes de faire des shampooings à l'œuf, papa, parce qu'on voit la coquille sur ta tête !

Dans un grand magasin, une femme s'énerve après une vendeuse.
- C'est incroyable, ça ! Ça fait une heure que j'essaye vos chapeaux et pas un ne me va !
- Oh, c'est normal, madame, vous êtes au rayon des casseroles et des poêles...

Un zèbre perdu parcourt la campagne.
Il aperçoit un gros taureau.
- Bonjour ! Je suis perdu !
Pourriez-vous m'indiquer
le chemin du zoo,
madame la vache ?
- Enlève ton pyjama,
cheval, et tu vas voir
si je suis une vache !

Un patient se plaint au médecin :
- Docteur, personne ne me prend
au sérieux.
- Allons, vous voulez rire ?

- Maman, la nouvelle confiture n'est pas très bonne.
- Quoi ? Qui te l'a dit ?
- Mon p'tit doigt...

Un garde-pêche se fâche :
- Hé ! Vous n'avez pas le droit de vous baigner ici !
- Mais je ne me baigne pas, je me noie !
- Ah bon ? Alors c'est différent, excusez-moi. Bonne journée, monsieur !

Maman gronde Romain.

- Non, Romain, tu ne prendras pas ce marteau. Tu pourrais te faire mal !

- Ne t'inquiète pas, c'est Julie qui tiendra les clous !

Un coq fait les cent pas devant une maternité. Soudain, une infirmière sort. Il se précipite vers elle et lui demande :

- Alors ? Qu'est-ce que c'est ?

Et l'infirmière répond :

- Félicitations, monsieur, c'est un œuf !

Devinette

26

Septembre

Devinette : Tant que je vis, je dévore tout sur mon passage. Dès que je bois, je meurs. Qui suis-je ?

(Réponse : Le feu !)

- Je ne comprends pas, docteur : vous me prescrivez des gouttes pour les yeux alors que je me suis blessé au doigt ?
- C'est simple : si vous aviez bien vu ce clou, vous ne vous seriez pas tapé sur le doigt !

Histoire drôle

27

Septembre

Une équipe de football part jouer en Amérique. Dans l'avion, le commandant de bord n'arrête pas de sentir l'appareil bouger dans tous les sens.

Il appelle l'hôtesse :

- Mademoiselle, qu'est-ce qu'il se passe derrière ?

- Oh, rien ! C'est l'équipe qui s'entraîne...

- Débrouillez-vous comme vous voulez, mais il faut que ça cesse ! L'avion bouge dans tous les sens !

L'hôtesse s'en va... Au bout de cinq minutes, le calme revient.

Le commandant rappelle l'hôtesse et lui demande :

- Que leur avez-vous dit pour obtenir le calme si rapidement ?

- C'est très simple, je leur ai dit d'aller jouer dehors...

Le docteur est très étonné :
- Mais enfin, monsieur, vous êtes en parfaite santé !
- Oui, mais la semaine dernière, je toussais et j'avais de la fièvre...
- Dans ce cas, pourquoi n'êtes-vous pas venu me voir la semaine dernière ???
- Bah... je ne pouvais pas, je vous dis : j'étais malade !!!

Qu'est-ce qui est vert et qui dit :
« Je suis une grenouille » ?
(Réponse :
Une grenouille QUI PARLE !)

Qu'est-ce qui est vert et qui dit :
« Je suis un éléphant » ?
(Réponse : Une grenouille qui ment !)

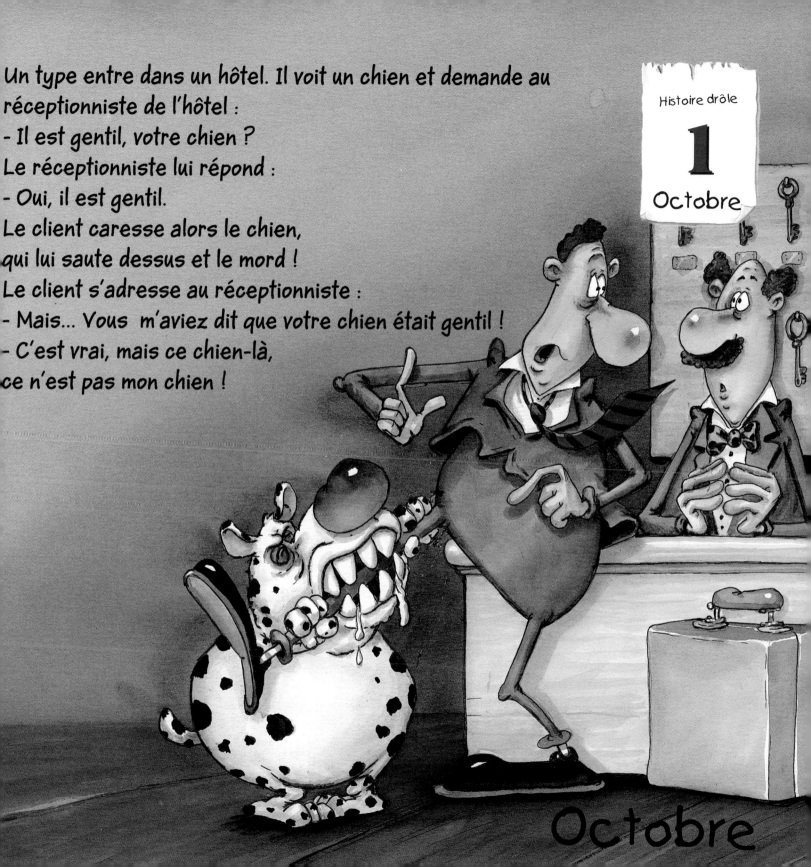

Un type entre dans un hôtel. Il voit un chien et demande au réceptionniste de l'hôtel :
- Il est gentil, votre chien ?
Le réceptionniste lui répond :
- Oui, il est gentil.
Le client caresse alors le chien,
qui lui saute dessus et le mord !
Le client s'adresse au réceptionniste :
- Mais... Vous m'aviez dit que votre chien était gentil !
- C'est vrai, mais ce chien-là,
ce n'est pas mon chien !

Histoire drôle

1

Octobre

Octobre

Qu'est-ce que crie un escargot sur le dos d'une tortue ?
(Yaaaaaaaaaaaahooooooooooooooooooouuuuuuuuuuuuuu !!!!)

Le maître d'école vérifie que les élèves ont bien appris leur leçon.
- Denis, donne-moi quatre membres de la famille des félins.
- Euh... Le papa félin, la maman félin, le fils félin, la fille félin ?

Le voisin du dessous frappe à la porte. Dès qu'elle s'ouvre, il hurle :
- Vous ne m'avez pas entendu taper avec mon balai au plafond !?
- Oh, ne vous en faites pas, ici aussi, on fait beaucoup de bruit !

- Cédric, arrête de lécher ce couteau, tu pourrais te blesser la langue et tu ne pourrais plus parler pendant quelques jours !
- Ah ça, c'est ma maîtresse qui serait contente !

BOUM !

- AÏE !

- Maman ? Ça va ? Qu'est-ce qui s'est passé ?

- Ce n'est rien, j'ai glissé dans la cuisine et je suis tombée.

- Ouf ! Heureusement que tu n'es pas une assiette, sinon tu te serais cassée !

Une petite fille arrive de l'école très en colère.

- Maman, si j'avais une gomme magique, j'effacerais tous les garçons.

- Tu as bien compris, Baptiste ? En arrivant chez Tata, tu es bien poli et tu ne réclames pas de gâteaux avant même de dire bonjour, d'accord ?
- D'accord.

Baptiste et sa maman arrivent chez la Tata. À peine arrivé, Baptiste dit :

- Tu vois, Tata, il est cinq heures de l'après-midi, je meurs de faim, mais je fais bien ce que maman m'a dit et je ne te réclame surtout pas de bons gâteaux !

Deux fous sont en safari en Afrique. Soudain, un lion sort de la brousse et se jette sur l'un des deux. Après une dure bataille, il réussit à se dégager de la bête et à la faire fuir. Il rejoint alors son ami, tout sale, et les vêtements en lambeaux.

- Espèce d'idiot, pourquoi tu n'as pas tiré ? Ce lion a failli me tuer !
- Mais je ne pouvais pas tirer, tu m'as dit que c'était un fusil pour les éléphants...

La maîtresse a envie de faire comprendre aux élèves que tout le monde peut se sentir bête devant une situation de la vie un jour ou l'autre.

- Les enfants, dit-elle, je voudrais que tous ceux d'entre vous qui se sont sentis idiots à un moment ou à un autre cette année se lèvent. Après une bonne dizaine de secondes, Lili se lève de mauvaise grâce.

L'institutrice, étonnée, lui demande :

- Alors comme ça, Lili, tu penses que de temps en temps tu as eu l'air stupide ?

- Non, maîtresse, mais ça me faisait de la peine de vous voir toute seule debout...

Le maître raconte l'histoire des trois petits cochons en classe, en essayant de faire participer ses élèves.

- « Alors le premier petit cochon rencontra un homme qui transportait de la paille dans une charrette. Il lui demanda poliment : Bonjour, monsieur, pourriez-vous me donner un peu de paille pour construire ma maison et me protéger du loup ? » Et là, les enfants, devinez ce que répondit l'homme ?

Antoine lève la main :

- Moi, je sais, maître ! L'homme s'est enfui en criant : « AU SECOURS, UN COCHON QUI PARLE ! »

Un fou entre dans un magasin d'électroménager pour s'acheter une télé.

Il va voir un vendeur et lui dit :

« Bonjour, monsieur, je voudrais acheter cette télé. »

Le vendeur :

« Désolé, on ne vend pas aux fous. »

Déçu, le fou rentre chez lui et se déguise. Il met une fausse barbe,

des fausses moustaches et un grand chapeau, et retourne au magasin.

Il va de nouveau voir le vendeur :

« Bonjour, monsieur, je voudrais acheter cette télé. »

Le vendeur, énervé, lui répond :

 « Je vous ai déjà dit qu'on ne vendait pas aux fous ! »

« Mais comment vous m'avez reconnu !? »

« C'est pas une télé, c'est un
four micro-ondes ! »

Histoire drôle

12

Octobre

Devinette : Quelle différence y a-t-il entre mon papa et mon chat ? (Aucune, tous les deux ont peur de l'aspirateur !)

Louis arrive en retard à l'école. La maîtresse lui demande :

- Pourquoi es-tu en retard ce matin, Louis ?
- Ben, je rêvais que je regardais un match de foot à la télévision, et il y a eu des prolongations. Alors, je suis resté !

Devinette : Combien de temps peut vivre une souris ?

(Cela dépend des chats !)

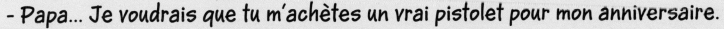

- Papa... Je voudrais que tu m'achètes un vrai pistolet pour mon anniversaire.

- Non mais, t'es pas un peu fou ? C'est très dangereux !

- Si, je veux un vrai pistolet !

- Écoute, ça suffit, hein ! Arrête ou je vais me fâcher !!

Alors, l'enfant fait une comédie, hurlant qu'il veut son pistolet. Le papa se fâche encore plus.

- Arrête ça tout de suite ou tu auras une fessée ! Nom mais, qui c'est qui commande ici ?

- C'est toi, pleurniche le gamin... Mais si j'avais un vrai pistolet...

C'est incroyable : mon fils qui n'a que 3 ans sait dire son prénom aussi bien à l'endroit qu'à l'envers, dit une maman à une dame.

- Mais comment s'appelle votre fils ? demande alors la dame.

- Il s'appelle Bob !

Une jeune femme, déjà maman d'un petit garçon de cinq ans, est de nouveau enceinte. L'enfant lui demande :

- Qu'est-ce que tu as dans ton ventre ?

- J'attends ton petit frère, et il pousse dans mon ventre.

Quelques jours après, sa maman reçoit la visite d'une amie, qui est également enceinte. Le petit garçon la regarde et lui demande :

- Alors, toi aussi, tu attends mon petit frère ?

Une petite fille rentre de l'école très en colère.
- Ça alors, ils exagèrent !
Pourquoi ils paient la maîtresse alors que
c'est nous qui sommes toujours
en train de travailler !

Une maman dit à son fils :
- Si tu manges encore du gâteau,
tu vas exploser !
- T'inquiète pas, maman,
donne-moi une part
et écarte-toi de
quelques mètres...

Le directeur d'un asile de fous fait visiter à un journaliste le bâtiment :

- Au premier étage, c'est ceux qui sont un peu fous, au deuxième c'est ceux qui ne sont pas très fous, au troisième, ceux qui sont moyennement fous, au quatrième, ceux qui sont assez fous, au cinquième c'est ceux qui sont très fous, au sixième, c'est les fous dangereux.

- Et au septième étage ? demande le journaliste.

- Au septième ? C'est mon bureau !

La maîtresse demande :

- Par quelle lettre commence « hier » ?

Jonathan lève la main :

- Par un d, maîtresse.

- Tu fais commencer « hier » par un d ?

- Ben, hier, on était bien dimanche ?

Denis se tortille sur son siège, en classe.

- Que se passe-t-il, Denis ? demande
le maître.

- Je voudrais aller aux toilettes,
maître, j'ai très envie de faire pipi !

- Tu iras après avoir répondu à cette question :
Où est le plus grand fleuve du pays ?
Denis arrête de se tortiller et sourit d'un air gêné.

- Euh... sous mon siège.

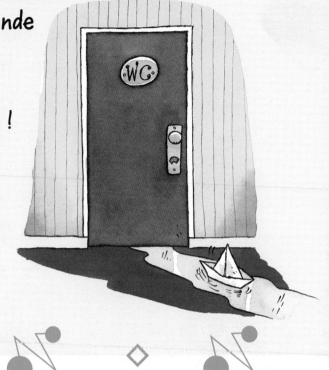

Lors d'une bagarre, une maman dit à ses enfants :
- Bon, les garçons, ça suffit maintenant, sinon je
vais en prendre un pour taper sur l'autre !
Et le petit Thomas ajoute :
- Tu me choisis, maman, et je vais
taper sur Quentin !

Devinette : Qu'est-ce qui est transparent et qui sent la carotte ? (Réponse : Un prout de lapin.)

Cédric, si tu me dis encore une fois « pourquoi », je me fâche.
- Pourquoi, maman ?

Devinette : Savez-vous pourquoi les pompiers portent des bretelles rouges ?

(Réponse : Bah... pour tenir leur pantalon !)

- Papa, quand je suis né, qui m'a donné mon intelligence ?
- Sans doute ta mère parce que moi, j'ai encore la mienne !

Le professeur dit à Tania :
- Tania, je t'avais demandé de résoudre le problème de robinet qui fuit. Tu as fait un effort en faisant le problème, mais ta réponse est complètement fausse ! Comment as-tu trouvé ce drôle de résultat : 01939763430 ?
- Bah... C'est le numéro de téléphone du plombier !

Un type va voir le psychiatre :
- Docteur, j'ai un problème.
Ma femme se
prend pour moi.
Le médecin lui répond :
- Bon, alors, envoyez-la-moi.
Le type répond :
- Mais, docteur, je suis là !

Angelo, très pressé d'aller aux W.-C.
essaye d'ouvrir la porte qui est
fermée parce que son papa est dedans.
Son papa lui dit :
- C'est occupé !
Angelo répond :
- Non, papa, c'est pas occupé, c'est
Angelo !

Novembre

Dans un parc, deux jardiniers travaillent. L'un creuse un trou et l'autre attend une minute et le rebouche. Un passant intrigué leur demande :

- Excusez-moi, ça fait un moment que je vous observe et je ne comprends pas pourquoi vous creusez un trou pour le reboucher tout de suite après ?

- Oh, c'est simple ! répond l'un des jardiniers. D'habitude, on est trois, mais celui qui plante les arbres est absent aujourd'hui...

Histoire drôle

2

Novembre

Mme Escargot prépare à manger, quand elle s'aperçoit qu'elle a oublié la salade.

- Chéri, dit-elle à M. Escargot, est-ce que tu peux aller me chercher une laitue dans le jardin ?

Elle continue de préparer le repas, mais une heure passe et le mari ne revient pas. Elle sort du salon pour voir ce qu'il fait, et le voit toujours au bas de l'escalier.

- Eh bien, que t'est-il arrivé ? Ça fait une heure que je t'attends !

- Oh, si tu cries, je n'y vais pas !

Histoire drôle

3

Novembre

- Xavier, tu as vingt fautes dans ton examen. Et ce n'est pas tout : ce sont les mêmes fautes que ton voisin. Comment cela se fait-il ?
Xavier réfléchit rapidement et répond :
- Euh... c'est parce que nous avons le même maître... ?

CONSEIL PRATIQUE : Quand vos parents vous disent que vous êtes trop petit pour vous coucher tard ou que vous ne pouvez pas regarder un film parce que vous êtes un enfant, rappelez-vous bien ceci : les adultes, c'est juste des enfants qui ont grandi !

Histoire drôle

4

Novembre

Une dame raconte à sa fillette de trois ans l'histoire du Petit Chaperon rouge. La gamine s'étonne :

- C'est tout ?

- Bien sûr, dit la maman. L'histoire se termine quand le loup a mangé la grand-mère et le Petit Chaperon rouge. Qu'est-ce que tu aurais voulu savoir de plus ?

- Le plus intéressant. Et la galette ? Qui est-ce qui l'a mangée, la galette ?

- Papa, papa, j'ai été à la ferme ! Il y avait plein de cochons !

- Et alors ?

- Eh ben, ils parlaient comme toi quand tu dors !

Deux amis se rencontrent sur le parking du toilettage pour chiens :

– J'emmène mon chien au toilettage parce que mon imbécile de voisin est allergique à ses poils.

– Ah bon, tu ne vas quand même pas le raser totalement ?

– Non, tu rigoles… Je viens pour qu'on lui mette un produit qui rendra ses poils encore plus longs !

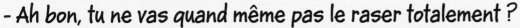

– Allô, docteur ? Mon fils vient d'avaler une souris !

– Quoi ? Bon, c'est très simple : mettez un bout de gruyère dans sa bouche, ça attirera la souris, qui ressortira et on l'attrapera. J'arrive tout de suite !

Un quart d'heure plus tard, le docteur arrive et voit le garçon avec une sardine dans la bouche.

– Mais enfin, madame, je vous avais dit de mettre du gruyère !

– Oui, mais maintenant, c'est le chat qu'il faut faire sortir…

C'est un ver de terre qui, sortant de son trou, voit un autre ver à côté de lui et engage la conversation :

- Beau temps, hein ?

Pas de réponse. Un peu surpris, il poursuit néanmoins :

- Espérons que ça ne va pas se gâter ce week-end.

Toujours pas de réponse.

- Remarquez, on n'a pas trop à se plaindre cette année.

Pas de réponse.

Alors, le ver de terre rentre dans son trou en grommelant :

- Ça y est ! J'ai encore parlé à ma queue !

Un invité murmure à sa voisine :

- Le champagne vous rend jolie.

- Mais je n'en ai pas bu une seule coupe.

- Oui, mais moi j'en suis à ma dixième.

Devinette : Qu'est-ce qui sépare le sourire des larmes ?

(Réponse : Le nez !)

Alors, tes vacances dans le désert, c'était comment ?

- Très bien, sauf que j'ai eu un petit accident de voiture : je suis rentré dans un chameau !

- Oh ! Et ce n'était pas trop grave ?

- Non, ça allait ; ma voiture était un peu abîmée, moi, je n'ai rien eu, et le chameau s'en est tiré avec deux bosses !

- J'ai deux nouvelles à t'annoncer.

- Commence par la bonne.

- Non, non, c'est deux mauvaises !

Une petite fille demande à sa maman :

- Dis, maman, quand j'étais dans ton ventre, comment as-tu su que je m'appelais Linda ?

Le médecin à son patient :

- Allons, buvez ce médicament, et vous vous sentirez mieux. Le patient boit.

- C'est tout, docteur ? Ça va me guérir complètement ? Et ça agit en combien de temps ?

- 10, répond le médecin.

- 10, mais 10 quoi ? dix semaines ? dix jours ?

- ... 10, 9, 8, 7, 6...

Devinette

16

Novembre

Devinette : Combien de terre y a-t-il dans un trou de 1m de long, 1m de large et 1m de haut ?
(Réponse : Ne vous cassez pas la tête : dans un trou, il n'y a pas de terre !)

Devinette : Qu'est-ce qui suit toujours un chat noir ?

(Réponse : Sa queue !)

Devinette

17

Novembre

Devinette

18

Novembre

Devinette : Combien une vache a-t-elle de pattes ?
(Réponse : Huit : 2 devant, 2 derrière, 2 à droite et 2 à gauche.)

Devinette : Que faut-il faire lorsqu'il y a dix fantômes autour de votre maison ?

(Réponse : Il faut espérer que ce soit Halloween !)

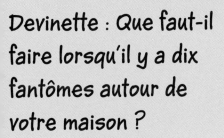

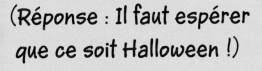

C'est un fantôme qui dit à un autre fantôme :
- C'est génial, demain on va récolter plein de cadeaux et de bonbons sans même nous déguiser !
- Ah bon, et comment ?
- On fête Halloween !!!

- Qu'est-ce que la légitime défense ?
demande la maîtresse à Toto.
- C'est quand mes notes sont
tellement mauvaises que je suis
obligé de signer moi-même
mon carnet.

Une petite fille prend la parole en
classe pour raconter à sa maîtresse
son aventure du matin :
- Maîtresse, ce matin en venant à
l'école, j'ai trouvé une feuille
morte... alors, je l'ai enterrée !

Le chien de ma voisine est tellement poilu qu'on ne sait pas où est sa tête et où est sa queue !
- Facile, pourtant : tire-lui la queue, et s'il te mord, c'est que c'est sa tête !

L'instituteur demande à ses élèves :
- Alors, les enfants, qui peut me donner une bonne définition de ce qu'est le désert ?
Louise lève la main :
- C'est un endroit où il ne pousse rien, monsieur.
- Très bien, Louise. Est-ce que tu peux me donner un exemple de désert ?
- Votre tête, maître, il n'y pousse plus rien...

Garçon, c'est inadmissible !!!
- Quoi donc, monsieur ?
- Il y a une mouche qui grignote
mon fromage !!!
- Oh, désolé, monsieur !
J'espère qu'elle vous
en a laissé !

Anaïs est à table :
- Maman, passe-moi le pain.
Papa se fâche :
- S'IL TE PLAÎT,
MAMAN, passe-moi
le pain !
- Oh non, papa, c'est moi qui l'ai
demandé en premier !

Devinette : Qu'est-ce qui fait zzzb-zzzb ?
(Réponse : Un bourdon qui vole à l'envers !)

Devinette : Quand peut-on être sûr qu'une princesse n'a vraiment pas de chance ?

(Réponse : Quand, au bout de plusieurs années à attendre en haut de la plus haute tour d'un sombre donjon, un prince charmant la trouve enfin, l'embrasse... et qu'il se tranforme en crapaud !)

Devinette
29
Novembre

Devinette : Qu'est-ce qui a de la bave enragée, 124 dents ensan-glantées, dix yeux jaunes, 18 pattes griffues et l'air de ne pas avoir mangé
depuis des mois ?

(Réponse : Vous ne savez pas ?
Moi non plus, mais FUYEZ !!!!)

Devinette : Qu'est-ce qui est petit, jaune et qui fait « crac-crac » ?

(Réponse : Un poussin qui mange des chips.)

Devinette
30
Novembre

À Noël, une petite fille décore son premier sapin
avec sa mamie. Sa maman lui demande :
- Alors, il te plaît le beau sapin de Noël ?
- La petite fille répond :
- Ce n'est pas le sapin de Noël,
c'est le sapin
de mamie !

Décembre

Histoire drôle

1

Décembre

- Alors, est-ce que tu aimes l'école ?
demande la mamie de Julien.
- Oui, mais c'est long entre les
récréations...

- Sarah, tu vas avoir un petit frère !
- Oh non !
- Comment ça, « Oh non » ? Tu ne
veux pas de petit frère ?
- Si, je veux bien, mais seulement un
frère fille !

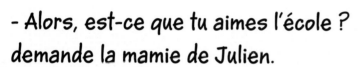

Un ogre prend l'avion pour la première fois.

Au moment du repas, l'hôtesse lui apporte le menu, mais l'ogre a l'air très déçu.

- Vous ne pourriez pas plutôt m'apporter la liste des passagers ?

Dans une cour de récréation, un élève en menace un autre :

- Dis UN mot, UN SEUL, et je te casse la figure !
- Espèce d'imbécile !
- Bon, très bien, ça fait DEUX mots ! Tu as de la chance !

Un instituteur fait remarquer à un de ses élèves :

– C'est très curieux mais, sur ce devoir de mathématiques, il me semble reconnaître l'écriture de ton père.

– Ça ! fait le gamin, ce n'est pas étonnant, je me suis servi de son stylo !

Devinette : Un train électrique roule d'est en ouest.

Question : Vers où va la fumée ?

(Réponse : Nulle part, il n'y a pas de fumée : c'est un train électrique !)

Histoire drôle

8

Décembre

Deux amis discutent :
- J'ai aperçu ta fiancée l'autre jour, mais elle ne m'a pas vu !
- Je sais, elle me l'a dit.

Histoire drôle

9

Décembre

Un fantôme croise un autre fantôme :
- Bonjour, il me semble bien avoir déjà vu votre tête quelque part ?
- Cela m'étonnerait, je l'emporte toujours avec moi !

À la ferme, deux petits garçons voient une portée de porcelets téter le lait d'une truie.
- Elle est drôlement grosse, la truie !
- Normal, lui répond son copain. Tu vois les huit petits cochons qui la gonflent ?

Que dit un lutin quand il rencontre un autre lutin ?

(Réponse : « Oh ! Comme le monde est petit ! »)

- Docteur, je voudrais perdre du poids.

- Hmmm. Très bien, je vais vous prescrire un cadenas.

- Un... cadenas ?

- Oui, pour mettre sur la porte de votre réfrigérateur !

- Moi, quand je bois une tasse de café, je ne peux pas dormir.

- Moi, c'est le contraire.

- Ah bon ?

- Oui, quand je dors, je ne peux pas boire une tasse de café.

Histoire drôle

14

Décembre

Devinette

15

Décembre

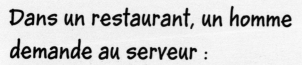

Dans un restaurant, un homme demande au serveur :

- Garçon, vous qui connaissez bien la cuisine du patron, qu'est-ce que vous me conseillez ?

- Franchement, je vous conseille d'aller dans un autre restaurant, monsieur...

Qu'est-ce qu'un mouton sans pattes ?

(Réponse : Un nuage !)

Le dentiste dit à son patient :

- Écoutez, j'ai une bonne et une mauvaise nouvelle pour vous.

- Commencez par la mauvaise...

- Je dois vous enlever quatre dents !

- Quatre dents ! C'est terrible ! Et quelle est la bonne nouvelle, alors ?

- Toutes les autre dents sont tellement mauvaises qu'elles vont tomber toutes seules, et ça ne vous coûtera pas un sou !

Devinette
17
Décembre

Devinette : Un homme mange un œuf chaque jour pour son petit déjeuner. Il n'a aucune poule chez lui. Il n'achète jamais d'œufs. Il n'emprunte jamais d'œufs. Il ne vole jamais d'œufs. Il n'en reçoit pas en cadeau. Comment fait-il pour manger un œuf par jour ?

(Réponse : Chaque jour, notre homme mange un œuf de cane...)

Devinette : Ce matin, le fermier s'est acheté un objet qui a vexé son coq. Quel est cet objet ?

(Réponse : Le fermier s'est acheté un réveil)

Devinette
18
Décembre

Une tortue vient de se faire piquer sur le nez par une abeille et dit :
- Zut, je vais encore devoir passer la nuit dehors...

Une maman demande à la maîtresse d'école comment se comporte son fils en classe.
- Il est très intelligent, mais il perd beaucoup de temps à bavarder avec les filles.
- Si vous trouvez le moyen de le corriger, dites-le-moi ! J'ai le même problème avec son père !

Lucas voit Tony à quatre pattes dans la cour de l'école.

- Qu'est-ce que tu cherches, Tony ?

- Je cherche un billet de 20 euros.

- Quoi ? C'est une grosse somme ! Je vais t'aider à chercher. Mais les minutes passent et les deux copains ne trouvent rien. Lucas demande :

- Tu es sûr que tu as perdu ton billet ici ?

- Je n'ai pas dit que j'avais perdu un billet, mais juste que j'en cherchais un !

- Dis, papa, qu'est-ce qui a quatre pattes et qui crie « Cocorico » ?

- Euh... Je ne sais pas.

- Un coq !

- Un coq ? Mais ça n'a pas quatre pattes, un coq !

- Je sais, mais si j'avais dit deux pattes, tu aurais trouvé tout de suite !

- Papa, aujourd'hui, j'ai gagné 3 euros.
- Comment as-tu fait ?
- M. Dubois m'a donné 1 euro pour que je lave sa voiture. Et quand il a vu le résultat, il m'a donné 2 euros pour que je ne la lave plus jamais !

Devinette : Dans quel métier est-on sûr de voir sa clientèle grandir de jour en jour ?

(Réponse : Pédiatre, médecin pour enfants.)

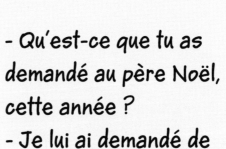

- Qu'est-ce que tu as demandé au père Noël, cette année ?
- Je lui ai demandé de passer plus souvent.

- Louis, tu veux bien donner ton camion à ton petit frère ?
- Je veux bien.
- C'est très gentil de ta part.
- Oui, mais il faudra m'en acheter un neuf !

- Baptiste, tu éteins la télé, s'il te plaît.
- Mais je la regarde, maman.
- Comment ça ? Tu es en train de lire une BD, tu ne peux pas la regarder en même temps !
- Mais si, je la regarde avec mes oreilles.

Devinette : Qu'est-ce qui a deux bosses et qu'on trouve au pôle Nord ?

(Réponse : Un chameau qui s'est bien perdu !)

Un petit garçon de 4 ans arrive avec une montre en classe. Les yeux fixés sur le cadran, il s'exclame :

- Je ne peux jamais savoir l'heure, elle n'arrête pas de tourner !

Devinette : J'ai trois nez, deux bouches, quatre yeux et cinq oreilles. Qui suis-je ?

(Réponse : Je suis... horrible !)

- Tony ! Ça suffit ! C'est la troisième fois que je te vois regarder sur le cahier de ton voisin !

- C'est normal, maîtresse, il écrit tellement mal que je n'arrive pas à copier !